ЛУЧШАЯ КНИГА

для чтения

от 3 до 6 лет

Художник В. Коркин

МОСКВА
РОСМЭН
2013

УДК 82-93 (082)
ББК 84.4 (2Рус=Рос)
Л93

Наш адрес в Интернете: **www.rosman.ru**

Л93 **Лучшая книга для чтения от 3 до 6 лет.** — М.: ЗАО «РОСМЭН-ПРЕСС», 2013. — 160 с.: ил.

В этой замечательной книге собраны лучшие произведения детской классики, предназначенные детям от трёх до шести лет. В этом сборнике есть всё: весёлые и добрые стихи, поучительные истории, рассказы о животных и природе, любимые сказки. Несомненно, книга станет чудесным подарком для детей и украсит вашу домашнюю библиотеку.

ISBN 978-5-353-03717-0

МОИ ЛЮБИМЫЕ СТИХИ

З. Александрова

ДЕД МОРОЗ

Шёл по лесу Дед Мороз
Мимо клёнов и берёз,
Мимо просек, мимо пней,
Шёл по лесу восемь дней.

Он по бору проходил —
Ёлки в бусы нарядил.
В эту ночь под Новый год
Он ребятам их снесёт.

На полянках тишина,
Светит жёлтая луна.
Все деревья в серебре,
Зайцы пляшут на горе,
На пруду сверкает лёд,
Наступает Новый год.

СНЕЖОК

Снежок порхает, кружится,
На улице бело.
И превратились лужицы
В холодное стекло.

Где летом пели зяблики,
Сегодня — посмотри! —
Как розовые яблоки,
На ветках снегири.

Снежок изрезан лыжами,
Как мел, скрипуч и сух,
И ловит кошка рыжая
Весёлых белых мух.

А. Барто

ДЕЛО БЫЛО В ЯНВАРЕ

Дело было в январе.
Стояла ёлка на горе,
И возле этой ёлки
Бродили злые волки.

Вот как-то раз
Ночной порой,
Когда в лесу так тихо,
Встречают волка под горой
Зайчата и зайчиха.

Кому охота в Новый год
Попасться в лапы волку!
Зайчата бросились вперёд
И прыгнули на ёлку.

Они прижали ушки,
Повисли, как игрушки.

Десять маленьких зайчат
Висят на ёлке и молчат —
Обманули волка.
Дело было в январе —
Подумал он, что на горе
Украшенная ёлка.

В. Данько

СОЛНЫШКО

Стоит на небе домик,
В нём Солнышко живёт.
Чай из самовара
На крылечке пьёт.

И бродит у крылечка
Облачко-овечка.

Вдруг,
Угрюма, тяжела,
Туча нá небо вползла.
Туча к Солнышку ползла,
Гром и молнию везла.

Загремела у ворот:
— Кто тут в домике живёт?!

Солнышко не испугалось,
Вышло и заулыбалось:
— Пожалуйте в гости,
Только, чур, без злости.

Вот так чудо-чудеса! —
Улыбнулись небеса!
Грома с молнией не стало,
Туча злиться перестала
И на синие луга
Вышла
РА-ДУ-ГА!

В. Степанов

РАДУГА

Радуга в небе весеннем висела,
Весело с неба на землю смотрела.
Радостно мы улыбались в ответ:
— Радуга-радуга, цвет-пересвет.

Радуга в небе недолго висела,
С неба на землю недолго смотрела:
       Растаяла…
Что же на память она всем
       Оставила?

КРАСНЫЕ маки,
ЖЁЛТЫЙ песок.
ЗЕЛЁНЫЙ зажёгся
На ветке листок.
Жук ФИОЛЕТОВЫЙ
Греет бока.
СИНЯЯ плещет
Река в берега.
ОРАНЖЕВЫМ солнцем
Согреты леса.
А у скворца
ГОЛУБЫЕ… глаза.

Я. Аким

ПЕСЕНКА В ЛЕСУ

Гуляла девочка в лесу
Погожим утром ранним.
Сбивала прутиком росу
На ягодной поляне,
Венки пахучие плела
Да землянику ела...
Гуляла девочка в лесу
И потихоньку пела:

«Свети нам, солнышко, свети!
Легко с тобой живётся.
И даже песенка в пути
Сама собой поётся.
От нас за тучи-облака
Не уходи, не надо —
И лес, и поле, и река
Теплу и солнцу рады.
Послушай песенку мою:
Свети с утра до ночи!
А я ещё тебе спою,
Спою, когда захочешь...»

А. Барто

ДУМАЮТ ЛИ ЗВЕРИ?

Я думаю о том:
Умеют думать звери?
Вот, шевельнув хвостом,
Котёнок входит в двери.
Он думает о том:
Что будет с ним потом?

Есть ли мысли у телят?
Я видел, как телята
Хвостами шевелят
И вдаль глядят куда-то.

Бывают у собак
Нерадостные мысли,
Задумается пёс —
И уши вниз повисли.

Я думаю о том:
Должны подумать птицы,
Куда им полететь
И где им приютиться,
Должны, в конце концов,
Подумать про птенцов!

Я бабушку спросил:
— Умеют думать звери? —
Она сказала: — Нет! —
Но я ещё проверю.

И. Мазнин

ОБЛАКА

— Облака, облака,
Пышные, белые,
Расскажите, облака,
Из чего вас делали?
Может, вас, облака,
Делали из молока?
Может быть, из мела?
Может быть, из ваты?
Может быть, из белой
Из бумаги мятой?

— Никогда, никогда, —
Отвечали облака, —

Никогда не делали
Нас из молока,
Никогда из мела,
Никогда из ваты,
Никогда из белой
Из бумаги мятой.
Мы — дождевые,
Мы — снеговые.
Если летом мы плывём,
Мы с собой грозу несём,
Если мы плывём зимою,
Мы пургу несём с собою.
Вот какие мы!

В. Степанов

РЫЖИЙ ПЁС

То жара, то дождик льётся,
То дороги снег занёс...
Как, скажи, тебе живётся
В конуре, мой рыжий пёс?

Нет с тобою рядом папы,
Мамы тоже рядом нет.
Кто тебе согреет лапы,
Купит к празднику конфет?

У тебя друзей немного,
Уж какие там друзья —
Ты на цепь посажен строго,
Убежать тебе нельзя.

Не грызёшь ты новый веник,
Хорошо себя ведёшь.
Я бы снял с тебя ошейник,
Да куда же ты пойдёшь?

Загорелась в доме люстра,
Погрузился двор во тьму.
Знаю я, что очень грустно
Жить на свете одному.
Как загадочные птицы,
Смотрят звёзды с высоты.
Что тебе ночами снится?
И о чём твои мечты?

Хочешь — я с тобой полаю?
Хочешь — рядом посижу?
Хочешь — книжку почитаю?
Хочешь — фокус покажу?
Только пёс не отвечает
Почему-то ничего.
А уходишь — громко лает,
Знает: я люблю его.

Ю. Коринец

ЛАПКИ

Как у старой бабки
Жили-были лапки.

Встанет бабка утром рано,
Выйдет в погреб за сметаной —
Лапки вслед за ней бегут.
Всюду бабку стерегут.

Сядет бабушка вязать —
Лапки рядом с ней опять:
Схватят бабушкин клубок
И закатят в уголок...

Надоели бабке
Озорные лапки!

Видит бабка — у ворот
Умывают лапки рот.

Стала бабка ждать гостей,
Суп сварила из костей.

Ждёт гостей, а их всё нет.
Стынет бабушкин обед.
Глядь, а лапки из кастрюли
Кость большую утянули.

Вот тебе и лапки!
Нет покоя бабке.

Отчего ж тогда стара
Их не гонит со двора?

Оттого, что ночью лапки
Верно служат старой бабке.
Если лапки ночью вскочат,
Когти острые поточат,
По полу пройдутся —
Все мыши разбегутся!

Нет мышей у бабки.
Вот такие лапки!

В. Данько

СПАСИБО

Ребята, откуда
«Спасибо» берётся?
Оно в магазине
Не продаётся,
Не говорится оно
По приказу,
И многим оно
Не досталось ни разу.

А Павлик сегодня
На улицу вышел
И сразу четыре
«Спасибо» услышал!

Косточку Павлик
Барбосу принёс —

«Спасибо» пролаял
Счастливый барбос.

Павлик два домика
Сделал для птиц —
Спасибо ему
От скворцов и синиц.

Потом поливал он
Ведёрком и лейкой
Цветы, что росли
За садовой скамейкой.

— Спасибо! —
Ему прошептали цветы. —
От жажды мы высохли,
Если б не ты.

Мама с работы
Вернулась домой.
Полы подметать
Ей не нужно самой.

Мама устала,
Павлик помог.
Мама сказала:
— Спасибо, сынок!

19

С. Михалков

А ЧТО У ВАС?

Кто на лавочке сидел,
Кто на улицу глядел,
Толя пел,
Борис молчал,
Николай ногой качал.

Дело было вечером,
Делать было нечего.

Галка села на заборе,
Кот забрался на чердак.
Тут сказал ребятам Боря
Просто так:
— А у меня в кармане гвоздь.
А у вас?

20

— А у нас сегодня гость.
А у вас?
— А у нас сегодня кошка
Родила вчера котят.
Котята выросли
                немножко,
А есть из блюдца не хотят.

— А у нас на кухне газ.
А у вас?
— А у нас водопровод.
Вот.

— А из нашего окна
Площадь Красная видна.
А из вашего окошка
Только улица немножко.

— Мы гуляли по Неглинной,
Заходили на бульвар,
Нам купили синий-синий,
Презелёный красный шар.

— А у нас огонь погас —
Это раз.
Грузовик привёз дрова —
Это два.
А в-четвёртых, наша мама
Отправляется в полёт,
Потому что наша мама
Называется пилот.

С лесенки ответил Вова:
— Мама — лётчик?
Что ж такого!

Вот у Коли, например,
Мама — милиционер.

А у Толи и у Веры
Обе мамы — инженеры.

А у Лёвы мама — повар.
Мама — лётчик?
Что ж такого!

— Всех важней, — сказала Ната, —
Мама — вагоновожатый,
Потому что до Зацепы
Водит мама два прицепа.

И спросила Нина тихо:
— Разве плохо быть портнихой?
Кто трусы ребятам шьёт?
Ну конечно, не пилот.

Лётчик водит самолёты —
Это очень хорошо.

Повар делает компоты —
Это тоже хорошо.

Доктор лечит нас от кори,
Есть учительница в школе.

Мамы разные нужны,
Мамы всякие важны.

Дело было вечером,
Спорить было нечего.

К. Чуковский

ФЕДОРИНО ГОРЕ

1

Скачет сито по полям,
А корыто по лугам.

За лопатою метла
Вдоль по улице пошла.

Топоры-то, топоры
Так и сыплются с горы.

Испугалася коза,
Растопырила глаза:

«Что такое? Почему?
Ничего я не пойму».

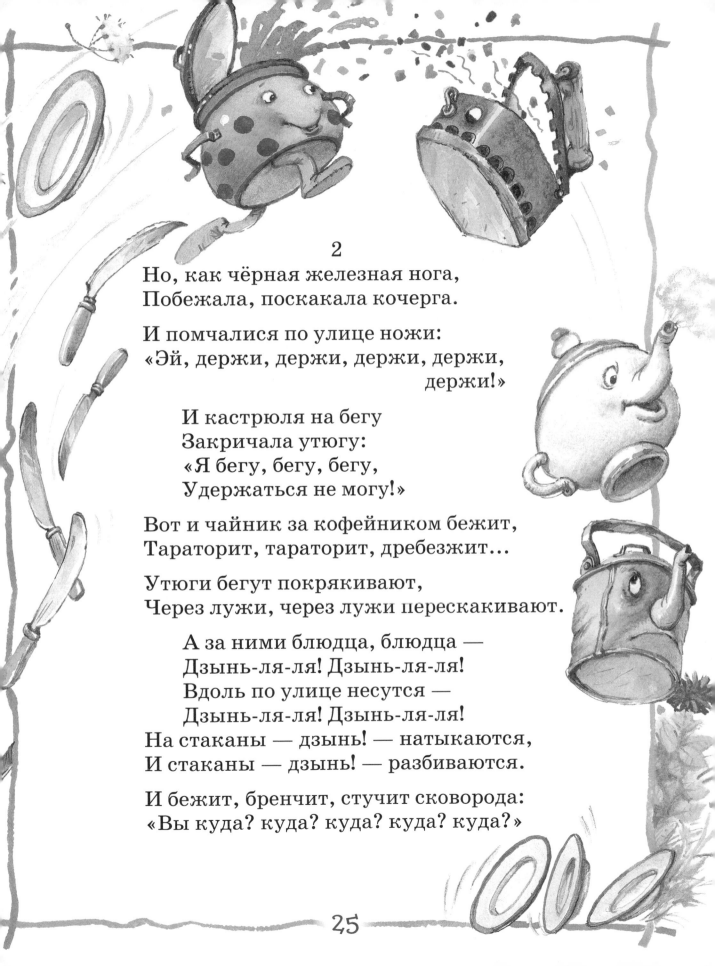

2

Но, как чёрная железная нога,
Побежала, поскакала кочерга.

И помчалися по улице ножи:
«Эй, держи, держи, держи, держи,
держи!»

И кастрюля на бегу
Закричала утюгу:
«Я бегу, бегу, бегу,
Удержаться не могу!»

Вот и чайник за кофейником бежит,
Тараторит, тараторит, дребезжит...

Утюги бегут покрякивают,
Через лужи, через лужи перескакивают.

А за ними блюдца, блюдца —
Дзынь-ля-ля! Дзынь-ля-ля!
Вдоль по улице несутся —
Дзынь-ля-ля! Дзынь-ля-ля!
На стаканы — дзынь! — натыкаются,
И стаканы — дзынь! — разбиваются.

И бежит, бренчит, стучит сковорода:
«Вы куда? куда? куда? куда? куда?»

А за нею вилки,
Рюмки да бутылки,
Чашки да ложки
Скачут по дорожке.

Из окошка вывалился стол
И пошёл, пошёл, пошёл, пошёл, пошёл...

А на нём, а на нём,
Как на лошади верхом,
Самоварище сидит
И товарищам кричит:
«Уходите, бегите, спасайтеся!»

И в железную трубу:
«Бу-бу-бу! Бу-бу-бу!»

3

А за ними вдоль забора
Скачет бабушка Федора:
«Ой-ой-ой! Ой-ой-ой!
Воротитеся домой!»

Но ответило корыто:
«На Федору я сердито!»
И сказала кочерга:
«Я Федоре не слуга!»
А фарфоровые блюдца
Над Федорою смеются:
«Никогда мы, никогда
Не воротимся сюда!»

Тут Федорины коты
Расфуфырили хвосты,
Побежали во всю прыть,
Чтоб посуду воротить:

«Эй вы, глупые тарелки,
Что вы скачете, как белки?
Вам ли бегать за воротами
С воробьями желторотыми?
Вы в канаву упадёте,
Вы утонете в болоте.
Не ходите, погодите,
Воротитеся домой!»

Но тарелки вьются-вьются,
А Федоре не даются:
«Лучше в поле пропадём,
А к Федоре не пойдём!»

27

4

Мимо курица бежала
И посуду увидала:
«Куд-куда! Куд-куда!
Вы откуда и куда?!»

И ответила посуда:
«Было нам у бабы худо,
Не любила нас она,
Била, била нас она,
Запылила, закоптила,
Загубила нас она!»

«Ко-ко-ко! Ко-ко-ко!
Жить нам было нелегко!»

«Да, — промолвил медный таз, —
Погляди-ка ты на нас:
Мы поломаны, побиты,
Мы помоями облиты.
Загляни-ка ты в кадушку —
И увидишь там лягушку.
Загляни-ка ты в ушат —
Тараканы там кишат,
Оттого-то мы от бабы
Убежали, как от жабы,

И гуляем по полям,
По болотам, по лугам,
А к неряхе-замарахе
Не воротимся!»

5

И они побежали лесочком,
Поскакали по пням и по кочкам.
А бедная баба одна,
И плачет, и плачет она.
Села бы баба за стол,
Да стол за ворота ушёл.
Сварила бы баба щи,
Да кастрюли поди поищи!
И чашки ушли, и стаканы,
Остались одни тараканы.
Ой, горе Федоре,
Горе!

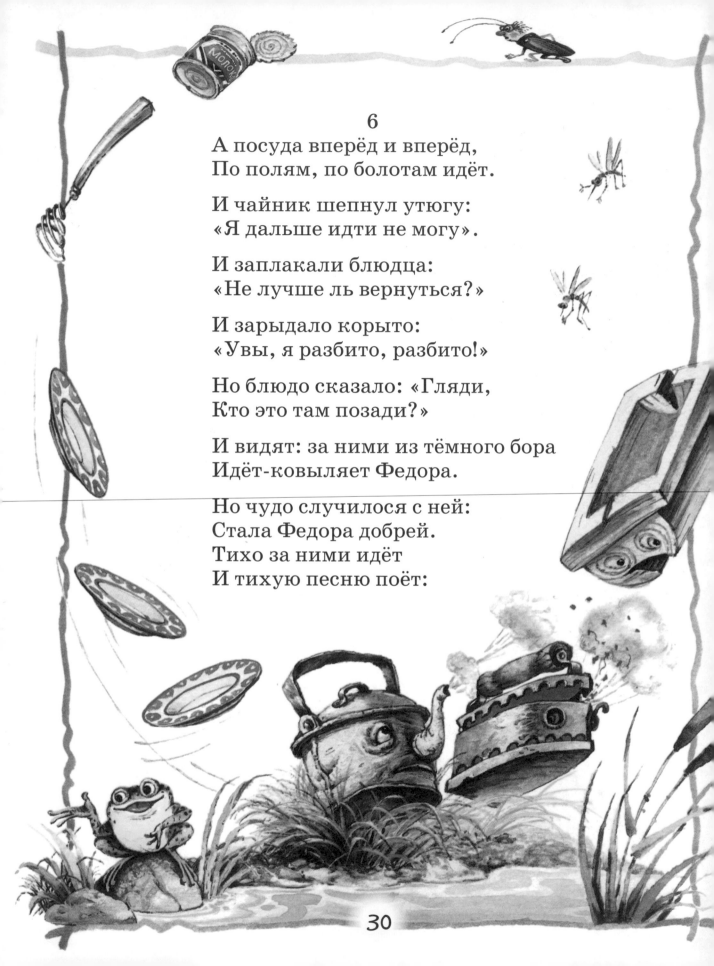

6

А посуда вперёд и вперёд,
По полям, по болотам идёт.

И чайник шепнул утюгу:
«Я дальше идти не могу».

И заплакали блюдца:
«Не лучше ль вернуться?»

И зарыдало корыто:
«Увы, я разбито, разбито!»

Но блюдо сказало: «Гляди,
Кто это там позади?»

И видят: за ними из тёмного бора
Идёт-ковыляет Федора.

Но чудо случилося с ней:
Стала Федора добрей.
Тихо за ними идёт
И тихую песню поёт:

«Ой вы, бедные сиротки мои,
Утюги и сковородки мои!
Вы подите-ка, немытые, домой,
Я водою вас умою ключевой.
Я почищу вас песочком,
Окачу вас кипяточком,
И вы будете опять,
Словно солнышко, сиять,
А поганых тараканов я повыведу,
Прусаков и пауков я повымету!»

И сказала скалка:
«Мне Федору жалко».

И сказала чашка:
«Ах, она бедняжка!»

И сказали блюдца:
«Надо бы вернуться!»

И сказали утюги:
«Мы Федоре не враги!»

7

Долго, долго целовала
И ласкала их она,
Поливала, умывала,
Полоскала их она.

«Уж не буду, уж не буду
Я посуду обижать,
Буду, буду я посуду
И любить и уважать!»

Засмеялися кастрюли,
Самовару подмигнули:
«Ну, Федора, так и быть,
Рады мы тебя простить!»

Полетели,
Зазвенели,
Да к Федоре прямо в печь!
Стали жарить, стали печь, —
Будут, будут у Федоры и блины и пироги!

А метла-то, а метла — весела —
Заплясала, заиграла, замела,
Ни пылинки у Федоры не оставила.

И обрадовались блюдца —
Дзынь-ля-ля! Дзынь-ля-ля!
И танцуют и смеются —
Дзынь-ля-ля! Дзынь-ля-ля!

А на белой табуреточке
Да на вышитой салфеточке
      Самовар стоит,
      Словно жар горит,
И пыхтит, и на бабу поглядывает:
      «Я Федорушку прощаю,
      Сладким чаем угощаю.
Кушай, кушай, Федора Егоровна!»

В. Данько

ЛЕТО И ОСЕНЬ

По лужайке
Босиком,
Солнышком согрето,
За цветистым мотыльком
Пробежало Лето.
Искупалось в реке,
Полежало на песке,
Загорело,
Пролетело
И исчезло вдалеке.

Мы зовём его и просим:
— Лето, подожди!
А в ответ приходит Осень
И идут дожди.
В сквере мокром, золотом
Ходит Осень под зонтом,
В окна школьные стучится:
— Начинайте-ка учиться!

Л. Модзалевский

ПРИГЛАШЕНИЕ В ШКОЛУ

Дети! В школу собирайтесь —
Петушок пропел давно!
Попроворней одевайтесь, —
Смотрит солнышко в окно!
Человек, и зверь, и пташка —
Все берутся за дела;
С ношей тащится букашка,
За медком летит пчела.
Ясно поле, весел луг,
Лес проснулся и шумит,
Дятел носом тук да тук!
Звонко иволга кричит.
Рыбаки уж тянут сети,
На лугу коса звенит...
Помолясь, за книгу, дети!
Бог лениться не велит!

А. Барто

В ШКОЛУ

Почему сегодня Петя
Просыпался десять раз?
Потому что он сегодня
Поступает в первый класс.

Он теперь не просто мальчик,
А теперь он новичок,
У него на новой куртке
Отложной воротничок.

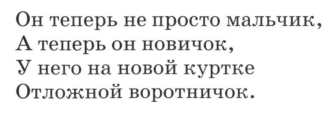

Он проснулся ночью тёмной,
Было только три часа.
Он ужасно испугался,
Что урок уж начался.

Он оделся в две минуты,
Со стола схватил пенал,
Папа бросился вдогонку,
У дверей его догнал.

За стеной соседи встали,
Электричество зажгли,
За стеной соседи встали,
А потом опять легли.

Разбудил он всю квартиру,
До утра заснуть не мог.
Даже бабушке приснилось,
Что она твердит урок.

Даже дедушке приснилось,
Что стоит он у доски
И не может он на карте
Отыскать Москвы-реки.

Почему сегодня Петя
Просыпался десять раз?
Потому что он сегодня
Поступает в первый класс.

А. Барто

Я ВЫРОСЛА

Мне теперь не до игрушек —
Я учусь по букварю,
Соберу свои игрушки
И Серёже подарю.

Деревянную посуду
Я пока дарить не буду.
Заяц нужен мне самой —
Ничего, что он хромой,

А медведь измазан слишком...
Куклу жалко отдавать:
Он отдаст её мальчишкам
Или бросит под кровать.

Паровоз отдать Серёже?
Он плохой, без колеса...
И потом, мне нужно тоже
Поиграть хоть полчаса!

Мне теперь не до игрушек —
Я учусь по букварю,
Но я, кажется, Серёже
Ничего не подарю.

С. Михалков

МОЙ ЩЕНОК

Я сегодня сбилась с ног —
У меня пропал щенок.
Два часа его звала,
Два часа его ждала,
За уроки не садилась
И обедать не могла.

В это утро
Очень рано
Соскочил щенок с дивана,
Стал по комнатам ходить,
Прыгать,
Лаять,
Всех будить.

Он увидел одеяло —
Покрываться нечем стало.

Он в кладовку заглянул —
С мёдом жбан перевернул.
Он порвал стихи у папы,
На пол с лестницы упал.
В клей залез передней лапой,
Еле вылез
И пропал...

39

Может быть, его украли,
На верёвке увели,
Новым именем назвали,
Дом стеречь
Заставили?

Может, он в лесу дремучем
Под кустом сидит колючим,
Заблудился,
Ищет дом,
Мокнет, бедный, под дождём?
Я не знала, что мне делать.

Мать сказала:
— Подождём.

Два часа я горевала,
Книжек в руки не брала,
Ничего не рисовала,
Всё сидела и ждала.

Вдруг
Какой-то страшный зверь
Открывает лапой дверь,
Прыгает через порог…
Кто же это?
Мой щенок.

Что случилось,
Если сразу
Не узнала я щенка?
Нос распух, не видно глаза,
Перекошена щека,
И, впиваясь, как игла,
На хвосте жужжит пчела.

Мать сказала: — Дверь закрой!
К нам летит пчелиный рой.

Весь укутанный,
В постели
Мой щенок лежит пластом
И виляет еле-еле
Забинтованным хвостом.

Я не бегаю к врачу —
Я сама его лечу.

С. Михалков

ПЕСЕНКА ДРУЗЕЙ

Мы едем, едем, едем
В далёкие края,
Хорошие соседи,
Счастливые друзья.
Нам весело живётся,
Мы песенку поём,
И в песенке поётся
О том, как мы живём.

Красота! Красота!
Мы везём с собой кота,
Чижика, собаку,
Петьку-забияку,
Обезьяну, попугая —
Вот компания какая!

Когда живётся дружно,
Что может лучше быть!
И ссориться не нужно,
И можно всех любить.
Ты в дальнюю дорогу
Бери с собой друзей:

Они тебе помогут,
И с ними веселей.

Красота! Красота!
Мы везём с собой кота,
Чижика, собаку,
Петьку-забияку,
Обезьяну, попугая —
Вот компания какая!

Мы ехали, мы пели,
И с песенкой смешной
Все вместе, как сумели,
Приехали домой.
Нам солнышко светило;
Нас ветер обвевал;
В пути не скучно было,
И каждый напевал:

— Красота! Красота!
Мы везём с собой кота,
Чижика, собаку,
Петьку-забияку,
Обезьяну, попугая —
Вот компания какая!

С. Михалков

НЕ СПАТЬ!

Я ненавижу слово «спать»!
Я ёжусь каждый раз,
Когда я слышу: «Марш
                в кровать!
Уже десятый час!»

Нет, я не спорю и не злюсь —
Я чай на кухне пью.
Я никуда не тороплюсь.
Когда напьюсь — тогда
                напьюсь!
Напившись, я встаю
И, засыпая на ходу,
Лицо и руки мыть иду…

Но вот доносится опять
Настойчивый приказ:
«А ну, сейчас же марш
                в кровать!
Одиннадцатый час!»

Нет, я не спорю, не сержусь —
Я не спеша на стул сажусь
И начинаю кое-как
С одной ноги снимать башмак.

Я, как герой, борюсь со сном,
Чтоб время протянуть,
Мечтая только об одном:
Подольше не заснуть!

Я раздеваю... полча...
И где-то в п...
Я слышу чьи...
Что спорят об...

Ск... спор з...
Мне...
И па...
«Смотр...

Я ненавиж...
Я ёжусь ка...
К... вать!
Уже...

Как хорош...
Ложиться с...

В четыре! И...
А иногда, а и...
(И в этом, прав... реда!)
Всю ночь совсем не спать!

Э. Мошковская

ХИТРЫЕ СТАРУШКИ

Наверное, у старушек
полным-полно игрушек!
Матрёшек, и петрушек,
и заводных лягушек.

Но хитрые старушки
припрятали игрушки
и сели в уголок
вязать себе чулок,
и гладить свою кошку,
и охать понарошку.

А сами только ждут,
когда же все уйдут!

И в тот же миг старушки — прыг!
Летит чулок
Под потолок!
И достают старушки
слона из-под подушки,
и куклу, и жирафа,
и мячик из-под шкафа.

Но только в дверь звонок, —
Они берут чулок...

И думают старушки —
не знает про игрушки
никто-никто в квартире
и даже в целом мире!

Борис Заходер

НИКТО

Завёлся озорник у нас.
Горюет вся семья.
В квартире от его проказ
Буквально нет житья!
Никто с ним, правда, не знаком,
Но знают все зато,
Что виноват всегда во всём
Лишь он один — НИКТО!

Кто, например, залез в буфет,
Конфеты там нашёл,
И все бумажки от конфет
Кто побросал под стол?
Кто на обоях рисовал?
Кто разорвал пальто?
Кто в папин стол свой нос совал?
НИКТО, НИКТО, НИКТО!
— НИКТО — ужасный сорванец! —
Сказала строго мать. —
Его должны мы наконец
Примерно наказать!
НИКТО СЕГОДНЯ НЕ ПОЙДЁТ
НИ В ГОСТИ, НИ В КИНО!
Смеётесь в
А нам с с
Ни капл

Борис Заходер

ДЫРКИ В СЫРЕ

— Скажите,
Кто испортил сыр?
Кто в нём наделал
Столько дыр?

— Во всяком случае,
Не я! —
Поспешно хрюкнула
Свинья.

— Загадочно! —
Воскликнул Гусь. —
А га-гадать
Я не берусь!

Овца сказала, чуть не плача:
— Бе-е-зумно трудная задача!
Всё непонятно, всё туманно —
Спросите лучше
У Барана!

— Всё зло — от кошек! — произнёс,
Обнюхав сыр,
Дворовый пёс. —
Как дважды два — четыре,
От них и дырки в сыре!

А Кот сердито фыркнул с крыши:
— Кто точит дырки?
Ясно — мыши!

Но тут Ворону Бог принёс.
— Ура!
Она решит вопрос.
Ведь, как известно,
У неё
На сыр
Особое чутьё!

И вот поручено
Вороне
Проверить дело
Всесторонне...

...на раскрыть загадку дыр,

...же сыр?
Забудь о сыре!

Заголосил весь скотный двор:
— Разбой! Грабёж!
Разор! Позор!

Взлетела на забор
Ворона
И заявила оскорблённо:
— Ну, это, знаете, придирки!
Вас
Интересовали
Дырки?
Так в чём же дело?
Сыр я съела,
А дырки —
Все! —
Остались целы!

На этом был окончен спор.
И потому-то
До сих пор,
Увы,
Никто не знает
В мире,
Откуда всё же
Дырки в сыре!
            (*Из Яна Бжехвы*)

А. Усачёв

ПЛАНЕТА КОШЕК

Есть где-то Кошачья планета.
Там кошки как люди живут:
Читают в постели газеты
И кофе со сливками пьют.

У них есть квартиры и дачи,
Машины и прочий комфорт.
Они обожают рыбачить
И возят детей на курорт.

Летают в заморские страны.
Находят алмазы с кулак.
Сажают на клумбах тюльпаны
И даже разводят

Роскошная ж
У кошек, кот
Но странные
Всё время о

Как много и
Как много п
Вот нет толь
Ах, как же им

Ю. Мориц

ТРУДОЛЮБИВАЯ СТАРУШКА

Ленивая кошка
Не ловит мышей.
Ленивый мальчишка
Не моет ушей.

Ленивая мышка
Не выроет норку.
Ленивый мальчишка
Не любит уборку.
Ленивая мушка
Не хочет летать.
Ленивый мальчишка
Не хочет читать!

Что делать, скажите,
Добрейшей старушке,
Когда завелись
У старушки в избушке:
Ленивая кошка,
Ленивая мышка,
А также ленивая,
Сонная мушка
И с ними в придачу
Ленивый мальчишка?

Старушка пошла на охоту —
За кошку!
Привыкла и ловит
Мышей понемножку.
За мышку под брёвнами
Вырыла норку,
Мешочек пшена притащила
И корку.

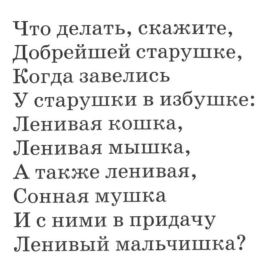

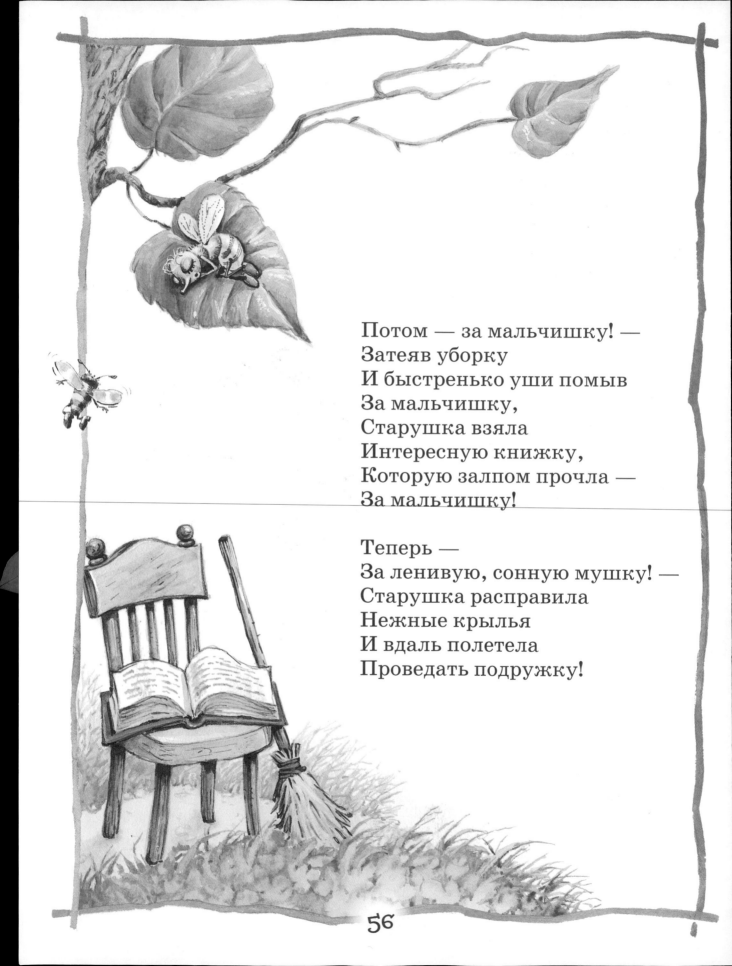

Потом — за мальчишку! —
Затеяв уборку
И быстренько уши помыв
За мальчишку,
Старушка взяла
Интересную книжку,
Которую залпом прочла —
За мальчишку!

Теперь —
За ленивую, сонную мушку! —
Старушка расправила
Нежные крылья
И вдаль полетела
Проведать подружку!

Ах, завтра старушке
Придётся опять
За мушку — летать,
За мальчишку — ...ть,
За кошку — м... ... а охоте
Хватать,
За мышку ...
Под брев... ...тать.

Как жи... ...ой
Ленивой ... е,
Не будь н... ...мле
Неленивой старушки?

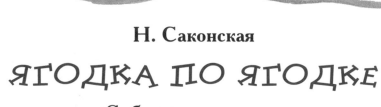

Н. Саконская

ЯГОДКА ПО ЯГОДКЕ

Собирала я в лесу
Ягоду малину.
Я домой не донесу
Полную корзину.

Ягодка по ягодке,
Ягодка по ягодке —
Дело продвигается,
Ягод убавляется...

Солнце греет горячо,
Далека дорога.
Не отведать ли ещё
Ягодок немного?

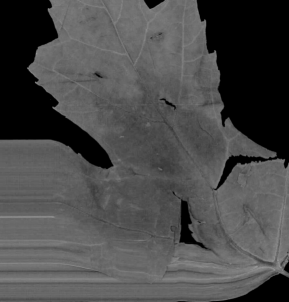

Ягодка по ягодке,
Ягодка по ягодке —
Тают, как снежинки,
Ягоды в корзинке.

Закатилось солнышко,
Показалось донышко,
А на донышке видна
Только ягодка одна.

Не идти же с ней домой?
Съем её — и с плеч долой!

Ю. Кушак

НОЧНОЕ ПРИКЛЮЧЕНИЕ

Мы снежную бабу
Слепили вчера,
И шляпа у бабы
Была из ведра.
А нос из морковки,
А руки из палки,
Метла из метлы,
А коса из мочалки.
Но только домой
Разошлась детвора,
Чихнула она
И сказала: — Пора! —
Ах, как она мчалась
С горы ледяной,
Консервную банку
Гоняла метлой,
Ловила снежинки,
Как бабочек, шляпой —
Коса развевалась
За снежною бабой!

Мы снежную бабу
Искали с утра.
Нашли мы ведро
Посредине двора.
Метлу мы нашли
Возле старой беседки,
Морковку — в снегу,
А мочалку — на ветке.
Одни удивились:
— Вот это дела!
Другие сказали,
Что вьюга была.
И вскоре про случай
      печальный
Забыли
И новую снежную бабу
      слепили.
И только мальчишка
      один не лепил:
Он прежнюю
Снежную бабу любил.

И. Суриков

* * *

Белый снег пушистый
В воздухе кружится
И на землю тихо
Падает, ложится.

И под утро снегом
Поле забелело,
Тихо пеленою
Всё его одело.

Тёмный лес что шапкой
Принакрылся чудной
И заснул под нею
Крепко, непробудно.

Стали дни короче,
Солнце светит мало.
Вот пришли морозы —
И зима настала.

ДЕТСТВО

Вот моя деревня;
Вот мой дом родной;
Вот качусь я в санках
По горе крутой;

Вот свернулись санки,
И я на бок — хлоп!
Кубарем качуся
Под гору, в сугроб.

И друзья-мальчишки,
Стоя надо мной,
Весело хохочут
Над моей бедой.

Всё лицо и руки
Залепил мне снег...
Мне в сугробе горе,
А ребятам смех!

Д. Хармс

БУЛЬДОГ И ТАКСИК

Над косточкой сидит бульдог,
Привязанный к столбу.
Подходит таксик маленький,
С морщинками на лбу.
«Послушайте, бульдог, бульдог! —
Сказал незваный гость. —
Позвольте мне, бульдог, бульдог,
Докушать эту кость».

Рычит бульдог на таксика:
«Не дам вам ничего!»
Бежит бульдог за таксиком,
А таксик от него.

Бегут они вокруг столба.
Как лев, бульдог рычит.
И цепь стучит вокруг столба,
Вокруг столба стучит.

Теперь бульдогу косточку
Не взять уже никак.
А таксик, взявши косточку,
Сказал бульдогу так:
«Пора мне на свидание,
Уж восемь без пяти.
Как поздно! До свидания!
Сидите на цепи!»

Л. Чарская

ГОРЕ КОШЕК

Ночь над городом нависла.
Светит круглая луна.
Говорит котишке кошка:
— Право, я удивлена!
День — сверкает в небе солнце,
Ночью — месяц золотой!
Ни одна зевака-мышка
Не пойдёт на свет такой.

Отвечает ей котишка:
— Мышек, правда, не найдёшь,
Но зато чрез эти трубы
Прямо в кухню попадёшь.
В кухне, видел я недавно,
На плите есть молоко...
Ах, голодному на свете
Жить, конечно, нелегко!
И в трубе исчезли кошки.
Им смеялась вслед луна:
Молочко давно на кухне
Люди выпили до дна.

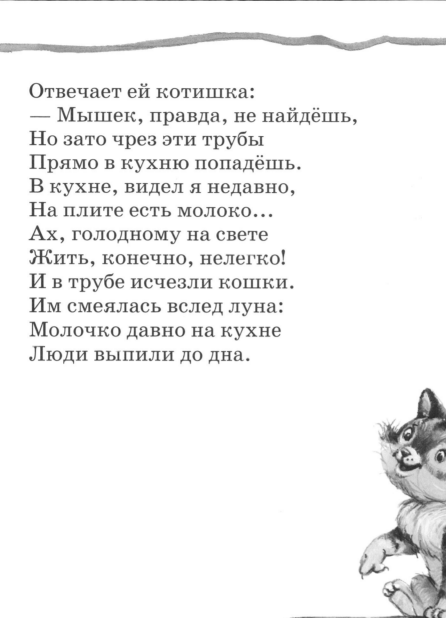

Ю. Владимиров

ЧУДАКИ

Я послал на базар чудаков,
Дал чудакам пятаков.
Один пятак —
на кушак,
Другой пятак —
на колпак,
А третий пятак —
так.
По пути на базар чудаки
Перепутали все пятаки:
Который пятак
на кушак,
Который пятак
на колпак,
Который пятак
так.
Только ночью пришли чудаки,
Принесли мне назад пятаки.

— Извините,
но с нами беда:
Мы забыли —
который куда:
Который пятак
на кушак,
Который пятак
на колпак,
А который пятак
так.

Саша Чёрный

УГОВОР

Ёж забрался в дом из леса!
Утром мы его нашли —
Он сидел в углу за печкой
И чихал в густой пыли.
Подошли мы — он свернулся.
Ишь, как иглами оброс!
Через пять минут очнулся,
Лапки высунул и нос.
Почему ты к нам забрался,
Мы не спросим, ты пойми:
Со своими ли подрался,
Захотел ли жить с людьми...

Поживи… У нас неплохо.
Только раньше уговор:
Будешь ты Чертополохом
Называться с этих пор!
Ты не должен драться с кошкой
И влезать к нам на кровать,
Потому что ты колючий,
Можешь кожу ободрать…

За день будешь получать ты
По три блюдца молока,
А по праздникам — ватрушку
И четыре червяка.
Днём играть ты должен с нами,
По ночам — ловить мышей.
Заболеешь — скажем маме, —
Смажем йодом до ушей.

Вот и всё. Теперь подумай.
Целый день ведь впереди…
Если хочешь, оставайся.
А не хочешь — уходи!

Саша Чёрный

КАК КОТ СМЕТАНЫ ПОЕЛ

Жили-были мышки,
Серые пальтишки.
Жил ещё кот,
Бархатный живот.
Пошёл кот к чулану
Полизать сметану,
Да чулан на задвижке,
А в чулане мышки...
Сидит кот перед дверцей,
Колотится сердце, —
Войти нельзя!

Вот запел кот,
Бархатный живот,
Тоненьким голосишкой
Вроде мышки:
«Эй, вы, слышь!
Я тоже мышь, —
Больно хочется есть,
Да под дверь не пролезть…
У вас там много в стакане,
Вымажьте лапки в сметане,
Да высуньте под дверку.
Скорей, глухие тетерьки!
Я полижу.
Спасибо скажу…»

Поверили мышки
Коту-плутишке,
Высунули лапки…
А кот цап!..
Со всех лап…

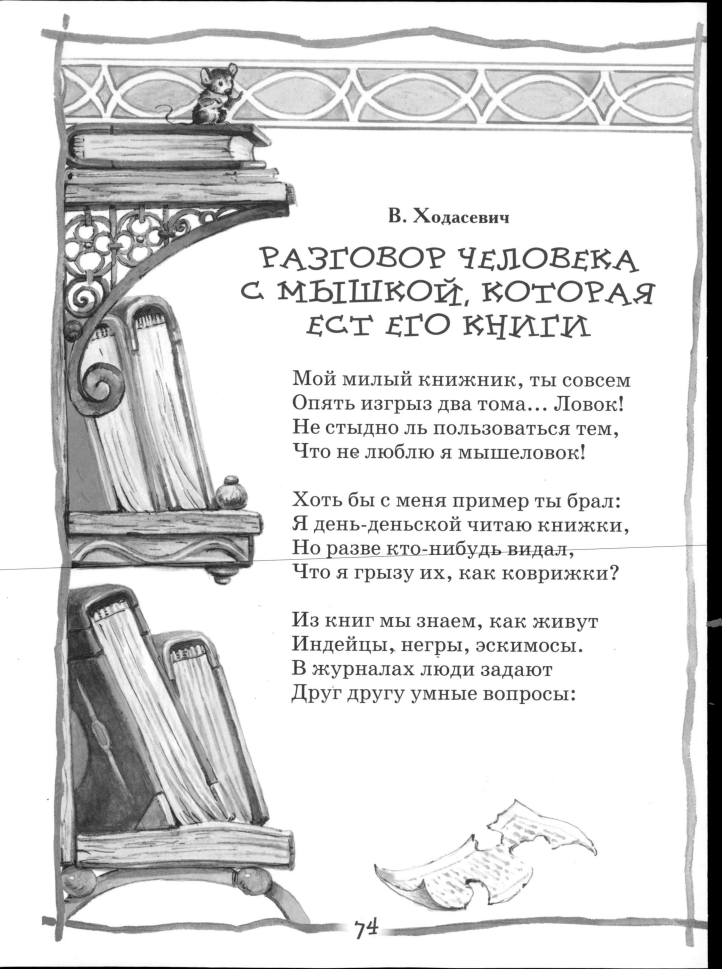

В. Ходасевич

РАЗГОВОР ЧЕЛОВЕКА С МЫШКОЙ, КОТОРАЯ ЕСТ ЕГО КНИГИ

Мой милый книжник, ты совсем
Опять изгрыз два тома... Ловок!
Не стыдно ль пользоваться тем,
Что не люблю я мышеловок!

Хоть бы с меня пример ты брал:
Я день-деньской читаю книжки,
Но разве кто-нибудь видал,
Что я грызу их, как коврижки?

Из книг мы знаем, как живут
Индейцы, негры, эскимосы.
В журналах люди задают
Друг другу умные вопросы:

Где путь в Америку лежит?
Как ближе: морем или сушей?
Ну, словом, вот тебе бисквит,
А книг, пожалуйста, не кушай.

О. Мандельштам

МУХА

— Ты куда пропала, муха?
— В молоко, в молоко.

— Хорошо тебе, старуха?
— Нелегко, нелегко.

— Ты бы вылезла немножко.
— Не могу, не могу.

— Я тебе столовой ложкой
Помогу, помогу.

— Лучше ты меня, бедняжку,
Пожалей, пожалей,

Молоко в другую чашку
Перелей, перелей.

76

РОЯЛЬ

Мы сегодня увидали
Городок внутри рояля.
Целый город костяной,
Молотки стоят горой.

Блещут струны жаром солнца,
Всюду мягкие суконца,
Что ни улица — струна
В этом городе видна.

КАЛОША

Для резиновой калоши
Настоящая беда,
Если день — сухой,
          хороший,
Если высохла вода.
Ей всего на свете хуже
В чистой комнате стоять:
То ли дело шлёпать в луже,
Через улицу шагать!

Д. Хармс

ИЗ ДОМА ВЫШЕЛ ЧЕЛОВЕК

Из дома вышел человек
С дубиной и мешком
И в дальний путь,
И в дальний путь
Отправился пешком.

Он шёл всё прямо и вперёд
И всё вперёд глядел.
Не спал, не пил,
Не пил, не спал,
Не спал, не пил, не ел.

И вот однажды на заре
Вошёл он в тёмный лес.
И с той поры,
И с той поры,
И с той поры исчез.

И если как-нибудь его
Случится встретить вам,
Тогда скорей,
Тогда скорей,
Скорей скажите нам.

ЛЮБИМЫЕ РАССКАЗЫ

К. Ушинский

ПЧЁЛКИ НА РАЗВЕДКАХ

Настала весна, солнце согнало снег с полей; в пожелтевшей прошлогодней травке проглядывали свежие, ярко-зелёные стебельки; почки на деревьях раскрывались и выпускали молоденькие листочки.

Вот проснулась и пчёлка от своего зимнего сна, прочистила глазки мохнатыми лапками, разбудила подругу, и выглянули они в окошко — разведать: ушёл ли снег, и лёд, и холодный северный ветер?

Видят пчёлки, что солнышко светит ярко, что везде светло и тепло; выбрались они из улья и полетели к яблоньке.

— Нет ли у тебя, яблонька, чего-нибудь для бедных пчёлок? Мы целую зиму голодали.

— Нет, — говорит им яблонька, — вы прилетели слишком рано, мои цветы ещё спрятаны в почках. Попытайтесь узнать у вишни.

Полетели пчёлки к вишне:

— Милая вишенка! Нет ли у тебя цветочка для бедных пчёлок?

— Наведывайтесь, милочки, завтра, — отвечает им вишня, — сегодня ещё нет на мне ни одного открытого цветочка, а когда откроются, я буду рада гостям.

Полетели пчёлки к тюльпану: заглянули в его пёструю головку; но не было в ней ни запаху, ни мёду.

Печальные и голодные пчёлки хотели уже домой лететь, как увидели под кустиком скромный, тёмно-синий цветочек: это была фиалочка. Она открыла пчёлкам свою чашечку, полную аромата и сладкого сока. Наелись, напились пчёлки и полетели домой — весёленьки.

И. Тургенев

ВОРОБЕЙ

Я возвращался и шёл по аллее сада. Собака бежала впереди меня.

Вдруг она уменьшила свои шаги и начала красться, как бы зачуяв перед собою дичь.

Я глянул вдоль аллеи и увидел молодого воробья с желтизной около клюва и пухом на голове. Он упал из гнезда (ветер сильно качал берёзы аллеи) и сидел неподвижно, беспомощно растопырив едва прораставшие крылышки.

Моя собака медленно приближалась к нему, как вдруг,

сорвавшись с близкого дерева, старый черногрудый воробей камнем упал перед самой её мордой — и, весь взъерошенный, искажённый, с отчаянным и жалким писком прыгнул раза два в направлении зубастой раскрытой пасти.

Он ринулся спасать, он заслонил собою своё детище... но всё его маленькое тельце трепетало от ужаса, голосок одичал и охрип, он замирал, он жертвовал собою!

Каким громадным чудовищем должна была ему казаться собака! И всё-таки он не мог усидеть на своей высокой, безопасной ветке... Сила, сильнее его воли, сбросила его оттуда.

Мой Трезор остановился, попятился... Видно, и он признал эту силу.

Я поспешил отозвать смущённого пса и удалился, благоговея.

Да, не смейтесь. Я благоговел перед той маленькой, героической птицей, перед любовным её порывом.

М. Пришвин

ЁЖ

Раз я шёл по берегу нашего ручья и под кустом заметил ежа; он тоже заметил меня, свернулся и затукал: тук-тук-тук. Очень похоже было, как если бы вдали шёл автомобиль. Я прикоснулся к нему кончиком сапога: он страшно фыркнул и поддал своими иголками в сапог.

— А, ты так со мной! — сказал я. И кончиком сапога спихнул его в ручей. Мгновенно ёж развернулся в воде и поплыл к берегу, как маленькая свинья, только вместо щетины на спине были иголки. Я взял палочку, скатил ею ежа в свою шляпу и понёс домой.

Мышей у меня было много, я слышал — ёжик их ловит, и решил: пусть живёт у меня и ловит мышей.

Так, положил я этот колючий комок посреди пола и сел писать, а сам уголком глаза всё смотрю на ежа. Недолго он лежал неподвижно: как только я затих у стола, ёжик развернулся, огляделся, туда попробовал идти, сюда, и выбрал себе наконец место под кроватью и там совершенно затих.

Когда стемнело, я зажёг лампу и — здравствуйте! Ёжик выбежал из-под кровати. Он, конечно, подумал про лампу, что это луна взошла в лесу: при луне ежи любят бегать по лесным полянкам. И так он пустился бегать по комнате, представляя, что это лесная полянка. Я взял трубку, закурил и пустил возле луны облачко. Стало совсем как в лесу: и луна, и облака, а ноги мои были как стволы деревьев и, наверное, очень нравились ежу, он так и шнырял между ними, понюхивая и почёсывая иголками задник моих сапог.

Прочитав газету, я уронил её на пол, перешёл в кровать и уснул.

Сплю я всегда очень чутко. Слышу — какой-то шелест у меня в комнате, чиркнул спичкой, зажёг свечу и только заметил, как ёж мелькнул под кровать. А газета лежала уже не возле стола, а посредине комнаты. Так я и оставил гореть свечу и сам не сплю, раздумывая: «Зачем это ёжику газета понадобилась?» Скоро мой жилец выбежал из-под кровати и прямо к газете, завертелся возле неё, шумел, шумел и наконец ухитрился: надел себе как-то на колючки уголок газеты и потащил её, огромную, в угол.

Тут я понял его: газета ему была как в лесу сухая листва, он тащил её себе для гнезда, и оказалось, правда, в скором времени ёж обернулся газетой и сделал себе из неё настоящее гнездо.

Кончив это важное дело, он вышел из своего жилища и остановился против кровати, разглядывая свечу — луну.

Я подпустил облако и спрашиваю:

— Что тебе ещё надо?

Ёжик не испугался.

— Пить хочешь?

Я встал. Ёжик не бежит.

Взял я тарелку, поставил на пол, принёс ведро с водой, и то налью воды на тарелку, то опять вылью в ведро, и там шумлю, будто это ручеёк поплёскивает.

— Ну, иди, иди, — говорю, — видишь, я для тебя и луну устроил, и облака пустил, и вот тебе вода.

Смотрю: будто двинулся вперёд. Я тоже немного подвинул к нему своё озеро. Он двинется — и я двину, да так и сошлись.

— Пей, — говорю окончательно.

Он и залакал.

А я так легонько по колючкам рукой провёл, будто погладил, и всё приговариваю:

— Хороший ты малый, хороший!

Напился ёж, я говорю:

— Давай спать.

Лёг и задул свечу.

Вот не знаю, сколько я спал, слышу: опять у меня в комнате работа. Зажигаю свечу — и что же вы подумаете? Ёжик бежит по комнате, и на колючках у него яблоко. Прибежал в гнездо, сложил его там и за другим бежит в уголок, а в углу стоял мешок с яблоками и завалился. Вот ёж подбежал, свернулся около яблок, дёрнулся и опять бежит, на колючках другое яблоко тащит в гнездо.

Так вот и устроился у меня ёжик. А сейчас я, как чай пить, непременно его к себе на стол и то молока ему налью на блюдечко — выпьет, то булочки дам — съест.

К. Паустовский

КОТ ВОРЮГА

Мы пришли в отчаяние. Мы не знали, как поймать этого рыжего кота. Он обворовывал нас каждую ночь. Он так ловко прятался, что никто из нас его толком не видел. Только через неделю удалось наконец установить, что у кота разорвано ухо и отрублен кусок грязного хвоста.

Это был кот, потерявший всякую совесть, кот-бродяга и бандит. Звали его за глаза Ворюгой.

Он воровал всё: рыбу, мясо, сметану и хлеб. Однажды он даже разрыл в чулане жестяную банку с червями. Он их не съел, но на разрытую банку сбежались куры и склевали весь наш запас червей.

Объевшиеся куры лежали на солнце и стонали. Мы ходили около них и ругались, но рыбная ловля всё равно была сорвана.

Почти месяц мы потратили на то, чтобы выследить рыжего кота.

Деревенские мальчишки помогали нам в этом. Однажды они примчались и, запыхавшись, рассказали, что на рассвете кот пронёсся, приседая, через огороды и протащил в зубах кукан[1] с окунями.

---

[1] К у к а н — специально сплетённая сумка для пойманной рыбы.

Мы бросились в погреб и обнаружили пропажу ку-
кана; на нём было десять жирных окуней, пойманных
на Прорве.

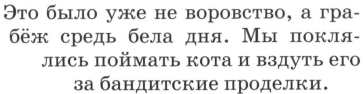

Это было уже не воровство, а грабёж средь бела дня. Мы покля-
лись поймать кота и вздуть его
за бандитские проделки.

Кот попался этим же
вечером. Он украл со
стола кусок ливер-
ной колбасы и полез
с ним на берёзу.

Мы начали трясти
берёзу. Кот уронил
колбасу; она упала
на голову Рувиму. Кот
смотрел на нас сверху дикими глазами и грозно выл.

Но спасения не было, и кот решился на отчаянный поступок. С ужасающим воем он сорвался с берёзы, упал
на землю, подскочил, как футбольный мяч, и умчался
под дом.

Дом был маленький. Он стоял в глухом, заброшенном
саду. Каждую ночь нас будил стук диких яблок, падав-
ших с веток на его тесовую крышу.

Дом был завален удочками, дробью, яблоками и сухи-
ми листьями. Мы в нём только ночевали. Все дни,
от рассвета до темноты, мы проводили на берегах
бесчисленных протоков и озёр. Там мы ловили
рыбу и разводили костры в прибрежных за-
рослях. Чтобы пройти к берегам озёр, приходилось вытаптывать узкие тропинки в
душистых высоких травах. Их венчики

качались над головами и осыпали плечи жёлтой цветочной пылью.

Возвращались мы вечером, исцарапанные шиповником, усталые, сожжённые солнцем, со связками серебристой рыбы, и каждый раз нас встречали рассказами о новых выходках рыжего кота.

Но наконец кот попался. Он залез под дом в единственный узкий лаз. Выхода оттуда не было.

Мы заложили лаз старой рыболовной сетью и начали ждать. Но кот не выходил. Он противно выл, выл непрерывно и без всякого утомления.

Прошёл час, два, три... Пора было ложиться спать, но кот выл и ругался под домом, и это действовало нам на нервы.

Тогда был вызван Лёнька, сын деревенского сапожника. Лёнька славился бесстрашием и ловкостью. Ему поручили вытащить из-под дома кота.

Лёнька взял шёлковую леску, привязал к ней за хвост пойманную днём плотицу и закинул её через лаз в подполье.

Вой прекратился. Мы услышали хруст и хищное щёлканье — кот вцепился зубами в рыбью голову. Он вцепился мёртвой хваткой. Лёнька потащил за леску. Кот отчаянно упирался, но Лёнька был сильнее, и, кроме того, кот не хотел выпускать вкусную рыбу.

Через минуту голова кота с зажатой в зубах плотицей показалась в отверстии лаза.

Лёнька схватил кота за шиворот и поднял над землёй. Мы впервые его рассмотрели как следует.

Кот зажмурил глаза и прижал уши. Хвост он на всякий случай подобрал под себя. Это оказался тощий, несмотря на постоянное воровство, огненно-рыжий кот-беспризорник с белыми подпалинами на животе.

Рассмотрев кота, Рувим задумчиво спросил:

— Что же нам с ним делать?

— Выдрать! — сказал я.

— Не поможет, — сказал Лёнька. — У него с детства характер такой.

Кот ждал, зажмурив глаза.

Тогда Рувим неожиданно сказал:

— Надо его накормить как следует!

Мы последовали этому совету, втащили кота в чулан и дали ему замечательный ужин: жареную свинину, заливное из окуней, творожники и сметану. Кот ел больше часа. Он вышел из чулана пошатываясь, сел на пороге и мылся, поглядывая на нас и на низкие звёзды зелёными нахальными глазами.

После умывания он долго фыркал и тёрся головой о пол. Это, очевидно, должно было означать веселье.

Мы боялись, что он протрёт себе шерсть на затылке.

Потом кот повернулся на спину, поймал свой хвост, пожевал его, выплюнул, растянулся у печки и мирно захрапел.

С этого дня он у нас прижился и перестал воровать.

На следующее утро он даже совершил благородный и неожиданный поступок.

Куры влезли на стол в саду и, толкая друг друга и переругиваясь, начали склёвывать из тарелок гречневую кашу.

Кот, дрожа от негодования, подкрался к курам и с коротким победным криком прыгнул на стол.

Куры взлетели с отчаянным воплем. Они перевернули кувшин с молоком и бросились, теряя перья, удирать из сада.

Впереди мчался, икая, голенастый петух, прозванный Горлачом.

Кот нёсся за ним на трёх лапах, а четвёртой, передней, лапой бил петуха по спине. От петуха летели пыль и пух. Внутри у него от каждого удара что-то бухало и гудело, будто кот бил по резиновому мячу.

После этого петух несколько минут лежал в припадке, закатив глаза, и тихо стонал. Его облили холодной водой, и он отошёл.

С тех пор куры опасались воровать. Увидев кота, они с писком и толкотнёй прятались под домом.

Кот ходил по дому и саду как хозяин и сторож. Он тёрся головой о наши ноги. Он требовал благодарности, оставляя на наших брюках клочья рыжей шерсти.

В. Осеева

ДОБРАЯ ХОЗЯЮШКА

Жила-была девочка. И был у неё петушок. Встанет утром петушок, запоёт:

— Ку-ка-ре-ку! Доброе утро, хозяюшка!

Подбежит к девочке, поклюёт у неё из рук крошки, сядет с ней рядом на завалинке. Пёрышки разноцветные, словно маслом смазаны, гребешок на солнышке золотом отливает. Хороший был петушок.

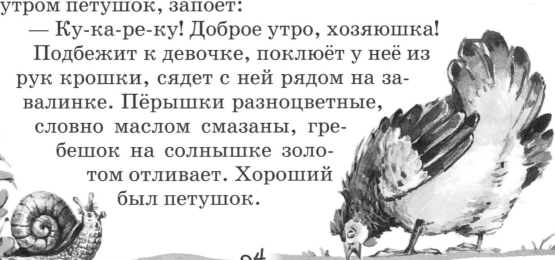

Увидела как-то раз девочка у соседки курочку. Понравилась ей курочка. Просит она соседку:

— Отдай мне курочку, а я тебе своего петушка отдам.

Услыхал петушок, свесил на сторону гребень, опустил голову, да делать нечего — сама хозяйка отдаёт.

Согласилась соседка — дала курочку, взяла петушка. Стала девочка с курочкой дружить. Пушистая курочка, тёпленькая, что ни день — свежее яичко снесёт.

— Куд-кудах, моя хозяюшка! Кушай на здоровье яичко!

Съест девочка яичко, возьмёт курочку на колени, пёрышки ей гладит, водичкой поит, пшеном угощает. Только раз приходит в гости соседка с уточкой. Понравилась девочке уточка. Просит она соседку:

— Отдай мне твою уточку — я тебе свою курочку отдам!

Услыхала курочка, опустила пёрышки, опечалилась, да делать нечего — сама хозяйка отдаёт.

Стала девочка с уточкой дружить.

Ходят вместе на речку купаться. Девочка плывёт — и уточка рядышком.

— Тась, тась, тась, моя хозяюшка! Не плыви далеко, в речке дно глубоко!

Выйдет девочка на бережок — и уточка за ней.

Приходит раз сосед. За ошейник щенка ведёт. Увидала девочка:

— Ах, какой щеночек хорошенький! Дай мне щенка — возьми мою уточку!

Услыхала уточка, захлопала крыльями, закричала, да делать нечего. Взял её сосед, сунул под мышку и унёс.

Погладила девочка щенка и говорит:

— Был у меня петушок — я за него курочку взяла, была курочка — я её за уточку отдала, теперь уточку на щенка променяла.

Услышал это щенок, поджал хвост, спрятался под лавку, а ночью открыл лапой дверь и убежал.

— Не хочу с такой хозяйкой дружить! Не умеет она дружбой дорожить.

Проснулась девочка — никого у неё нет!

В. Осеева

ХОРОШЕЕ

Проснулся Юрик утром. Посмотрел в окно. Солнце светит. Денёк хороший.

И захотелось мальчику самому что-нибудь хорошее сделать.

Вот сидит он и думает: «Что, если б моя сестрёнка тонула, я бы её спас!»

А сестрёнка тут как тут:

— Погуляй со мной, Юра!

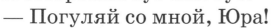

— Уходи, не мешай думать!

Обиделась сестрёнка, отошла.

А Юра думает: «Вот если б на няню волки напали, а я бы их застрелил!»

А няня тут как тут:

— Убери посуду, Юрочка.

— Убери сама — некогда мне!

Покачала головой няня. А Юра опять думает: «Вот если б Трезорка в колодец упал, а я бы его вытащил!»

А Трезорка тут как тут. Хвостом виляет: «Дай мне попить, Юра!»

— Пошёл вон! Не мешай думать!

Закрыл Трезорка пасть, полез в кусты. А Юра к маме пошёл:

— Что бы мне такое хорошее сделать?

Погладила мама Юру по голове:

— Погуляй с сестрёнкой, помоги няне посуду убрать, дай водички Трезору.

В. Катаев

ДУДОЧКА И КУВШИНЧИК

Поспела в лесу земляника. Взял папа кружку, взяла мама чашку, девочка Женя взяла кувшинчик, а маленькому Павлику дали блюдечко. Пришли они в лес и стали собирать ягоду: кто раньше наберёт. Выбрала мама Жене полянку получше и говорит:

— Вот тебе, дочка, отличное местечко. Здесь очень много земляники. Ходи собирай.

Женя вытерла кувшинчик лопухом и стала ходить.

Ходила-ходила, смотрела-смотрела, ничего не нашла и вернулась с пустым кувшинчиком.

Видит — у всех земляника. У папы четверть кружки. У мамы полчашки. А у маленького Павлика на блюдце две ягоды.

— Мама, почему у всех у вас есть, а у меня ничего нет? Ты мне, наверное, выбрала самую плохую полянку.

— А ты хорошо искала?

— Хорошо. Там ни одной ягоды, одни только листья.

— А под листики ты заглядывала?

— Не заглядывала.

— Вот видишь! Надо заглядывать.

— А почему Павлик не заглядывает?

— Павлик маленький. Он сам ростом с землянику. Ему и заглядывать не надо, а ты уже девочка довольно высокая.

А папа говорит:

— Ягодки — они хитрые. Они всегда от людей прячутся. Их нужно уметь доставать. Гляди, как я делаю.

Тут папа присел, нагнулся к самой земле, заглянул под листики и стал искать ягодку за ягодкой, приговаривая:

— Одну ягодку беру, на другую смотрю, третью замечаю, а четвёртая мерещится.

— Хорошо, — сказала Женя. — Спасибо, папочка. Буду так делать.

Пошла Женя на свою полянку, присела на корточки, нагнулась к самой земле и заглянула под листики.

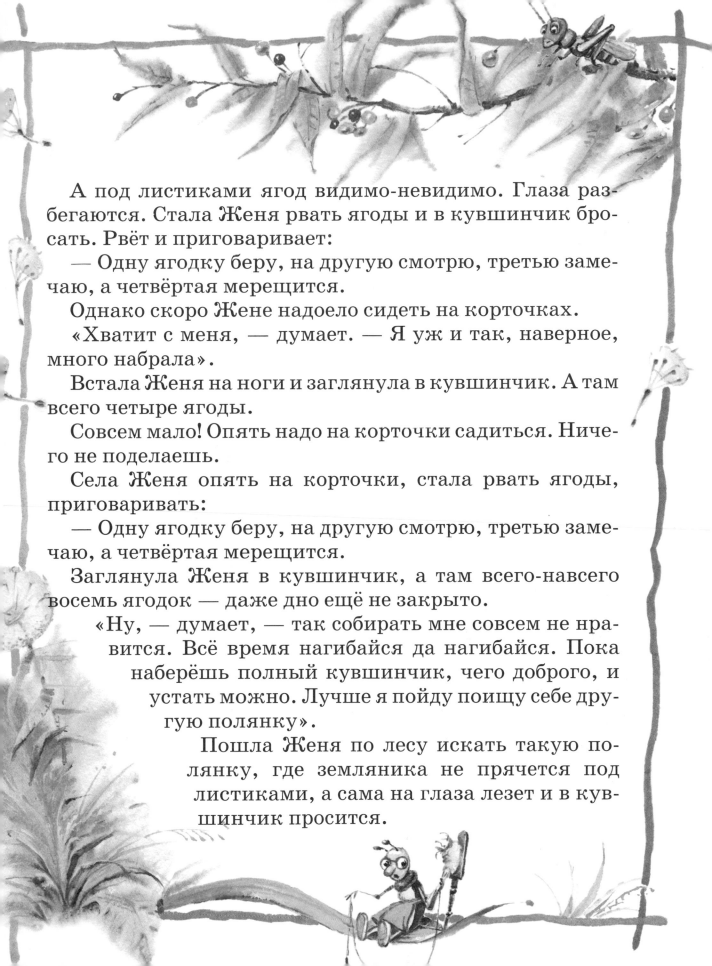

А под листиками ягод видимо-невидимо. Глаза разбегаются. Стала Женя рвать ягоды и в кувшинчик бросать. Рвёт и приговаривает:

— Одну ягодку беру, на другую смотрю, третью замечаю, а четвёртая мерещится.

Однако скоро Жене надоело сидеть на корточках.

«Хватит с меня, — думает. — Я уж и так, наверное, много набрала».

Встала Женя на ноги и заглянула в кувшинчик. А там всего четыре ягоды.

Совсем мало! Опять надо на корточки садиться. Ничего не поделаешь.

Села Женя опять на корточки, стала рвать ягоды, приговаривать:

— Одну ягодку беру, на другую смотрю, третью замечаю, а четвёртая мерещится.

Заглянула Женя в кувшинчик, а там всего-навсего восемь ягодок — даже дно ещё не закрыто.

«Ну, — думает, — так собирать мне совсем не нравится. Всё время нагибайся да нагибайся. Пока наберёшь полный кувшинчик, чего доброго, и устать можно. Лучше я пойду поищу себе другую полянку».

Пошла Женя по лесу искать такую полянку, где земляника не прячется под листиками, а сама на глаза лезет и в кувшинчик просится.

Ходила-ходила, полянки такой не нашла, устала и села на пенёк отдыхать.

Сидит, от нечего делать ягоды из кувшинчика вынимает и в рот кладёт. Съела все восемь ягод, заглянула в пустой кувшинчик и думает: «Что же теперь делать? Хоть бы мне кто-нибудь помог!»

Только она подумала, как мох зашевелился, мурава раздвинулась, и из-под пенька вылез небольшой крепкий старичок: пальто белое, борода сизая, шляпа бархатная и поперёк шляпы сухая травинка.

— Здравствуй, девочка, — говорит.

— Здравствуй, дяденька.

— Я не дяденька, а дедушка. Аль не узнала? Я старик боровик, коренной лесовик, главный начальник над всеми грибами и ягодами. О чём вздыхаешь? Кто тебя обидел?

— Обидели меня, дедушка, ягоды.

— Не знаю. Они у меня смирные. Как же они тебя обидели?

— Не хотят на глаза показываться, под листики прячутся. Сверху ничего не видно. Нагибайся да нагибайся. Пока наберёшь полный кувшинчик, чего доброго, и устать можно.

Погладил старик боровик, коренной лесовик свою сизую бороду, усмехнулся в усы и говорит:

— Сущие пустяки! У меня для этого есть специальная дудочка. Как только она заиграет, так сейчас же все ягоды из-под листиков и покажутся.

Вынул старик боровик, коренной лесовик из кармана дудочку и говорит:

103

— Играй, дудочка!

Дудочка сама собой заиграла, и, как только она заиграла, отовсюду из-под листиков выглянули ягоды.

— Перестань, дудочка.

Дудочка перестала, и ягодки спрятались.

Обрадовалась Женя:

— Дедушка, дедушка, подари мне эту дудочку!

— Подарить не могу! А давай меняться: я тебе дам дудочку, а ты мне кувшинчик — он мне очень понравился.

— Хорошо. С большим удовольствием.

Отдала Женя старику боровику, коренному лесовику кувшинчик, взяла у него дудочку и поскорей побежала на свою полянку.

Прибежала, стала посередине, говорит:

— Играй, дудочка.

Дудочка заиграла, и в тот же миг все листики на поляне зашевелились, стали поворачиваться, как будто бы на них подул ветер.

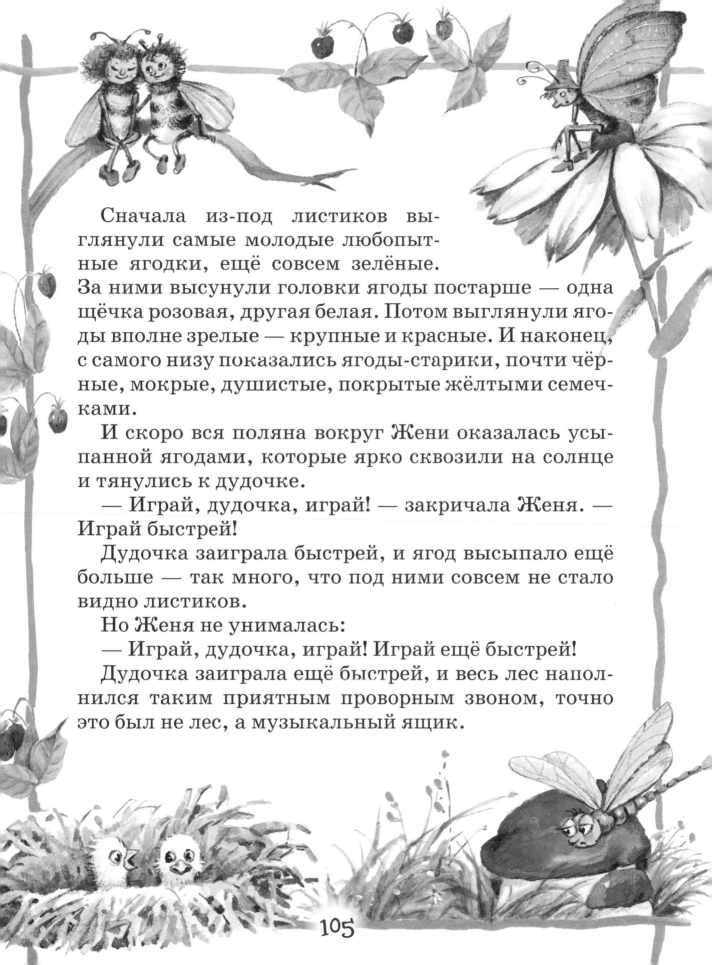

Сначала из-под листиков выглянули самые молодые любопытные ягодки, ещё совсем зелёные.

За ними высунули головки ягоды постарше — одна щёчка розовая, другая белая. Потом выглянули ягоды вполне зрелые — крупные и красные. И наконец, с самого низу показались ягоды-старики, почти чёрные, мокрые, душистые, покрытые жёлтыми семечками.

И скоро вся поляна вокруг Жени оказалась усыпанной ягодами, которые ярко сквозили на солнце и тянулись к дудочке.

— Играй, дудочка, играй! — закричала Женя. — Играй быстрей!

Дудочка заиграла быстрей, и ягод высыпало ещё больше — так много, что под ними совсем не стало видно листиков.

Но Женя не унималась:

— Играй, дудочка, играй! Играй ещё быстрей!

Дудочка заиграла ещё быстрей, и весь лес наполнился таким приятным проворным звоном, точно это был не лес, а музыкальный ящик.

Пчёлы перестали сталкивать бабочку с цветка; бабочка захлопнула крылья, как книгу; птенцы малиновки выглянули из своего лёгкого гнезда, которое качалось на ветках бузины, и в восхищении разинули жёлтые рты; грибы поднимались на цыпочки, чтобы не пропу-

стить ни одного звука, и даже старая лупоглазая стрекоза, известная своим сварливым характером, остановилась в воздухе, до глубины души восхищённая чу́дной музыкой.

«Вот теперь-то я начну собирать!» — подумала Женя и уже было протянула руку к самой большой и красивой ягоде, как вдруг вспомнила, что обменяла кувшинчик на дудочку и ей теперь некуда класть землянику.

— У, глупая дудка! — сердито закричала девочка. — Мне ягоды некуда класть, а ты разыгралась. Замолчи сейчас же!

Побежала Женя к старику боровику, коренному лесовику и говорит:

— Дедушка, дедушка, отдай назад мой кувшинчик! Мне ягоды некуда собирать.

— Хорошо, — отвечает старик боровик, коренной лесовик, — я тебе отдам твой кувшинчик, только ты отдай назад мою дудочку.

Отдала Женя старику боровику, коренному лесовику дудочку, взяла свой кувшинчик и поскорее побежала обратно на полянку.

Прибежала, а там уже ни одной ягодки не видно — одни только листики.

Вот несчастье! Кувшинчик есть — дудочки не хватает. Как тут быть?

Подумала Женя, подумала и решила опять идти к старику боровику, коренному лесовику за дудочкой.

Приходит и говорит:

— Дедушка, а дедушка, дай мне опять дудочку!

— Хорошо. Только ты дай мне опять кувшинчик.

— Не дам. Мне самой кувшинчик нужен, чтобы ягоды в него класть.

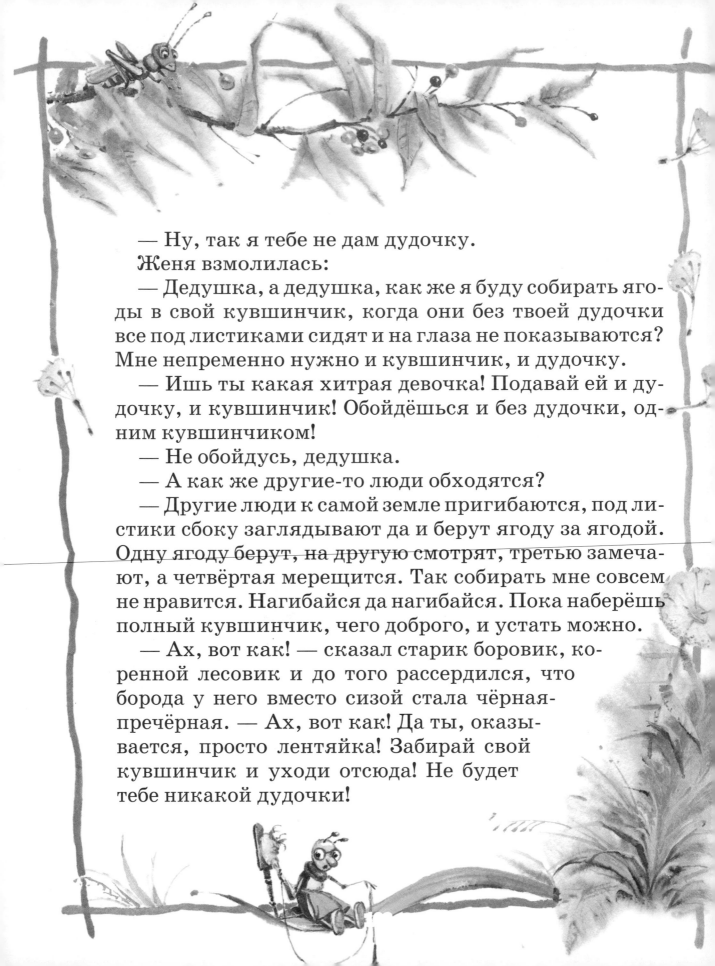

— Ну, так я тебе не дам дудочку.

Женя взмолилась:

— Дедушка, а дедушка, как же я буду собирать ягоды в свой кувшинчик, когда они без твоей дудочки
все под листиками сидят и на глаза не показываются?
Мне непременно нужно и кувшинчик, и дудочку.

— Ишь ты какая хитрая девочка! Подавай ей и дудочку, и кувшинчик! Обойдёшься и без дудочки, одним кувшинчиком!

— Не обойдусь, дедушка.

— А как же другие-то люди обходятся?

— Другие люди к самой земле пригибаются, под листики сбоку заглядывают да и берут ягоду за ягодой.
Одну ягоду берут, на другую смотрят, третью замеча-
ют, а четвёртая мерещится. Так собирать мне совсем
не нравится. Нагибайся да нагибайся. Пока наберёшь
полный кувшинчик, чего доброго, и устать можно.

— Ах, вот как! — сказал старик боровик, коренной лесовик и до того рассердился, что
борода у него вместо сизой стала чёрная-
пречёрная. — Ах, вот как! Да ты, оказы-
вается, просто лентяйка! Забирай свой
кувшинчик и уходи отсюда! Не будет
тебе никакой дудочки!

С этими словами старик боровик, коренной лесовик топнул ногой и провалился под пенёк.

Женя посмотрела на свой пустой кувшинчик, вспомнила, что её дожидаются папа, мама и маленький Павлик, поскорей побежала на свою полянку, присела на корточки, заглянула под листики и стала проворно брать ягоду за ягодой. Одну берёт, на другую смотрит, третью замечает, а четвёртая мерещится...

Скоро Женя набрала полный кувшинчик и вернулась к папе, маме и маленькому Павлику.

— Вот умница, — сказал Жене папа, — полный кувшинчик принесла! Небось устала?

— Ничего, папочка. Мне кувшинчик помогал.

И пошли все домой — папа с полной кружкой, мама с полной чашкой, Женя с полным кувшинчиком, а маленький Павлик с полным блюдечком.

А про дудочку Женя никому ничего не сказала.

В. Драгунский

ТАЙНОЕ СТАНОВИТСЯ ЯВНЫМ

Я услышал, как мама сказала кому-то в коридоре:

— ...Тайное всегда становится явным.

И когда она вошла в комнату, я спросил:

— Что это значит, мама: «Тайное становится явным»?

— А это значит, что, если кто поступает нечестно, всё равно про него это узнают, и будет ему стыдно, и он понесёт наказание, — сказала мама. — Понял?.. Ложись-ка спать!

Я почистил зубы, лёг спать, но не спал, а всё время думал: как же так получается, что тайное становится явным? И я долго не спал, а когда проснулся, было утро, папа был уже на работе, и мы с мамой были одни. Я опять почистил зубы и стал завтракать.

Сначала я съел яйцо. Это ещё терпимо, потому что я выел один желток, а белок раскромсал со скорлупой

110

так, чтобы его не было видно. Но потом мама принесла целую тарелку манной каши.

— Ешь! — сказала мама. — Безо всяких разговоров!

Я сказал:

— Видеть не могу манную кашу!

Но мама закричала:

— Посмотри, на кого ты стал похож! Вылитый Кощей! Ешь. Ты должен поправиться.

Я сказал:

— Я ею давлюсь!..

Тогда мама села со мной рядом, обняла меня за плечи и ласково спросила:

— Хочешь, пойдём с тобой в Кремль?

Ну ещё бы... Я не знаю ничего красивее Кремля. Я там был в Грановитой палате и в Оружейной, стоял возле Царь-пушки и знаю, где сидел Иван Грозный. И ещё там очень много интересного. Поэтому я быстро ответил маме:

— Конечно, хочу в Кремль! Даже очень!

Тогда мама улыбнулась:

— Ну вот, съешь всю кашу, и пойдём. А я пока посуду вымою. Только помни — ты должен съесть всё до дна!

И мама ушла на кухню.

А я остался с кашей наедине. Я по-шлёпал её ложкой. Потом посолил. Попробовал — ну, невозможно есть! Тогда я подумал, что, может быть, са-хару не хватает? Посыпал песку, по-пробовал... Ещё хуже стало. Я не люблю кашу, я же говорю.

А она к тому же была гу-стая. Если бы она была

жидкая, тогда другое дело, я бы зажмурился и выпил её. Тут я взял и долил в кашу кипятку. Всё равно было скользко, липко и противно. Главное, когда я глотаю, у меня горло само сжимается и выталкивает эту кашу обратно. Ужасно обидно! Ведь в Кремль-то хочется! И тут я вспомнил, что у нас есть хрен. С хреном, кажется, почти всё можно съесть! Я взял и вылил в кашу всю баночку, а когда немножко попробовал, у меня сразу глаза на лоб полезли и остановилось дыхание, и я, наверно, потерял сознание, потому что взял тарелку, быстро подбежал к окну и выплеснул кашу на улицу. Потом сразу вернулся и сел за стол.

В это время вошла мама. Она посмотрела на тарелку и обрадовалась:

— Ну что за Дениска, что за парень-молодец! Съел всю кашу до дна! Ну, вставай, одевайся, рабочий народ, идём на прогулку в Кремль! — И она меня поцеловала.

В эту же минуту дверь открылась, и в комнату вошёл милиционер. Он сказал:

— Здравствуйте! — и подошёл к окну, и поглядел вниз. — А ещё интеллигентный человек.

— Что вам нужно? — строго спросила мама.

— Как не стыдно! — Милиционер даже стал по стойке «смирно». — Государство предоставляет вам новое жильё, со всеми удобствами и, между прочим, с мусоропроводом, а вы выливаете разную гадость за окно!

— Не клевещите. Ничего я не выливаю!

— Ах не выливаете?! — язвительно рассмеялся милиционер. И, открыв дверь в коридор, крикнул: — Пострадавший!

И к нам вошёл какой-то дяденька.

Я как на него взглянул, так сразу понял, что в Кремль я не пойду.

На голове у этого дяденьки была шляпа. А на шляпе наша каша. Она лежала почти в середине шляпы, в ямочке, и немножко по краям, где лента, и немножко за воротником, и на плечах, и на левой брючине. Он как вошёл, сразу стал заикаться:

— Главное, я иду фотографироваться... И вдруг такая история... Каша... мм... манная... Горячая, между прочим, сквозь шляпу и то... жжёт... Как же я пошлю своё... фф... фото, когда я весь в каше?!

Тут мама посмотрела на меня, и глаза у неё стали зелёные, как крыжовник, а уж это верная примета, что мама ужасно рассердилась.

— Извините, пожалуйста, — сказала она тихо, — разрешите, я вас почищу, пройдите сюда!

И они все трое вышли в коридор. А когда мама вернулась, мне даже страшно было на неё взглянуть. Но я себя пересилил, подошёл к ней и сказал:

— Да, мама, ты вчера правильно сказала. Тайное всегда становится явным!

Мама посмотрела мне в глаза. Она смотрела долго-долго и потом спросила:

— Ты это запомнил на всю жизнь?

И я ответил:

— Да.

ДРУГ ДЕТСТВА

Когда мне было лет шесть или шесть с половиной, я совершенно не знал, кем же я в конце концов буду на этом свете. Мне все люди вокруг очень нравились и все работы тоже. У меня тогда в голове была ужасная путаница, я был какой-то растерянный и никак не мог толком решить, за что же мне приниматься.

То я хотел быть астрономом, чтоб не спать по ночам и наблюдать в телескоп далёкие звёзды, а то я мечтал стать капитаном дальнего плавания, чтобы стоять, расставив ноги, на капитанском мостике, и посетить далёкий Сингапур, и купить там забавную обезьянку. А то мне до смерти хотелось превратиться в машиниста метро или начальника станции и ходить в красной фуражке и кричать толстым голосом:

— Го-о-тов!

Или у меня разгорался аппетит выучиться на такого художника, который рисует на уличном асфальте белые полоски для мчащихся машин. А то мне казалось, что неплохо бы стать отважным путешественником вроде Алена Бомбара и переплыть все океаны на утлом челноке, питаясь одной только сырой рыбой. Правда, этот Бомбар после своего путешествия похудел на двадцать пять килограммов, а я всего-то весил двадцать шесть, так что выходило, что если я тоже поплыву, как он, то мне худеть будет совершенно некуда, я буду весить в конце путешествия только одно кило. А вдруг я где-нибудь не поймаю одну-другую рыбину и похудею чуть побольше? Тогда я, наверно, просто растаю в воздухе, как дым, вот и все дела.

Когда я всё это подсчитал, то решил отказаться от этой затеи, а на другой день мне уже приспичило стать боксёром, потому что я увидел в телевизоре розыгрыш первенства Европы по боксу.

Как они молотили друг друга — просто ужас какой-то! А потом показали их тренировку, и тут они колотили уже тяжёлую кожаную «грушу» — такой продолговатый тяжёлый мяч, по нему надо бить изо всех сил, лупить что есть мо́чи, чтобы развивать в себе силу удара. И я так нагляделся на всё на это, что тоже решил стать самым сильным человеком во дворе, чтобы всех побивать, в случае чего.

Я сказал папе:

— Папа, купи мне грушу!

— Сейчас январь, груш нет. Съешь пока морковку.

Я рассмеялся:

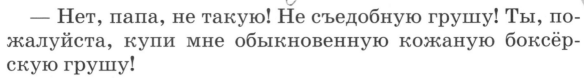

— Нет, папа, не такую! Не съедобную грушу! Ты, пожалуйста, купи мне обыкновенную кожаную боксёрскую грушу!

— А тебе зачем? — сказал папа.

— Тренироваться, — сказал я. — Потому что я буду боксёром и буду всех побивать. Купи, а?

— Сколько же стоит такая груша? — поинтересовался папа.

— Пустяки какие-нибудь, — сказал я. — Рублей десять или пятнадцать.

— Ты спятил, братец, — сказал папа. — Перебейся как-нибудь без груши. Ничего с тобой не случится.

И он оделся и пошёл на работу. А я на него обиделся за то, что он мне так со смехом отказал. И мама сразу же заметила, что я обиделся, и тотчас сказала:

— Стой-ка, я, кажется, что-то придумала. Ну-ка, ну-ка, погоди-ка одну минуточку.

И она наклонилась и вытащила из-под дивана большую плетёную корзинку; в ней были сложены старые игрушки, в которые я уже не играл. Потому что я уже вырос и осенью мне должны были купить школьную форму и картуз с блестящим козырьком.

Мама стала копаться в этой корзинке, и, пока она копалась, я видел мой старый трамвайчик без колёс и на верёвочке, пластмассовую дудку, помятый волчок, одну стрелу с резиновой нашлёпкой, обрывок паруса от лодки, и несколько погремушек, и много ещё разного игрушечного утиля. И вдруг мама достала со дна корзинки здоровущего плюшевого мишку.

Она бросила его мне на диван и сказала:

— Вот. Это тот самый, что тебе тётя Мила подарила. Тебе тогда два года исполнилось. Хороший мишка, отличный.

Погляди, какой тугой! Живот какой толстый! Ишь как выкатил! Чем не груша? Ещё лучше! И покупать не надо! Давай тренируйся сколько душе угодно! Начинай!

И тут её позвали к телефону, и она вышла в коридор.

А я очень обрадовался, что мама так здорово придумала. И я устроил мишку поудобнее на диване, чтобы мне сподручней было об него тренироваться и развивать силу удара.

Он сидел передо мной такой шоколадный, но здорово облезлый, и у него были разные глаза: один его собственный — жёлтый стеклянный, а другой большой белый — из пуговицы от наволочки; я даже не помнил, когда он появился. Но это было не важно, потому что мишка довольно весело смотрел на меня своими разными глазами, и он расставил ноги и выпятил мне навстречу живот, а обе руки поднял кверху, как будто шутил, что вот он уже заранее сдаётся...

И я вот так посмотрел на него и вдруг вспомнил, как давным-давно я с этим мишкой ни на минуту не расставался, повсюду таскал его за собой, и нянькал его, и сажал его за стол рядом с собой обедать, и кормил его с ложки манной кашей, и у него такая забавная мордочка становилась, когда я его чем-нибудь перемазывал, хоть той же кашей или вареньем, такая забавная, милая мордочка становилась у него тогда, прямо как живая, и я его спать с собой укладывал, и укачивал его, как маленького братишку, и шептал ему разные сказки прямо в его бархатные твёрденькие ушки, и я его любил тогда, любил всей душой, я за него тогда жизнь бы отдал. И вот он сидит сейчас на диване, мой бывший самый лучший друг, настоящий друг детства. Вот он сидит, смеётся разными глазами, а я хочу тренировать об него силу удара...

— Ты что, — сказала мама, она уже вернулась из коридора. — Что с тобой?

А я не знал, что со мной, я долго молчал и отвернулся от мамы, чтобы она по голосу или по губам не догадалась, что со мной, и я задрал голову к потолку, чтобы слёзы вкатились обратно, и потом, когда я скрепился немного, я сказал:

— Ты о чём, мама? Со мной ничего... Просто я раздумал. Просто я никогда не буду боксёром.

ЛЮБИМЫЕ СКАЗКИ

Шарль Перро

КОТ В САПОГАХ

Было у мельника три сына, и оставил он им, умирая, всего только мельницу, осла и кота.

Братья поделили между собой отцовское добро без нотариуса и судьи, которые бы живо проглотили всё их небогатое наследство. Старшему досталась мельница. Среднему — осёл. Ну, а уж младшему пришлось взять себе кота. Бедняга долго не мог утешиться, получив такую жалкую долю наследства.

— Братья могут честно заработать себе на хлеб, — говорил он. — А что станется со мной после того, как я съем своего кота и сделаю из его шкурки муфту? Прямо хоть помирай с голоду.

Кот услышал эти слова, но виду не подал, а сказал спокойно и рассудительно:

— Не печальтесь, хозяин. Дайте-ка мне мешок да закажите пару сапог, чтобы легче было бродить по лесу, и вы увидите, что вас не так уж обидели, как вам это сейчас кажется.

Хозяин кота и сам не знал, верить этому или нет, но он хорошо помнил, на какие хитрости пускался этот плут, когда охотился на крыс и мышей, как ловко он прикидывался мёртвым, то повиснув на задних лапах, то зарывшись чуть ли не с головой в муку. Кто его знает, а вдруг и в самом деле он чем-нибудь поможет в беде!

Едва только кот получил всё, что ему было надобно, он живо обулся, молодецки притопнул, перекинул через плечо мешок и, придерживая его за шнурки передними лапами, зашагал в заповедный лес, где водилось множество кроликов. А в мешке у него были отруби и заячья капуста.

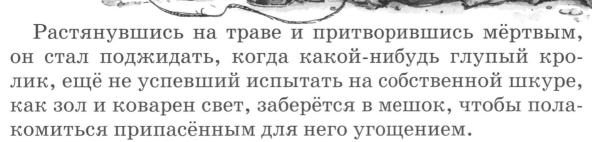

Растянувшись на траве и притворившись мёртвым, он стал поджидать, когда какой-нибудь глупый кролик, ещё не успевший испытать на собственной шкуре, как зол и коварен свет, заберётся в мешок, чтобы полакомиться припасённым для него угощением.

Долго ждать ему не пришлось: какой-то молоденький, доверчивый простачок-кролик сразу же прыгнул в мешок.

Недолго думая кот затянул шнурки и покончил с кроликом безо всякого милосердия.

После этого, гордый своей добычей, он отправился прямо во дворец и попросил приёма у короля.

Его ввели в королевские покои. Кот отвесил его величеству почтительный поклон и сказал:

— Государь, вот кролик из лесов маркиза де Карабаса (такое имя выдумал он для своего хозяина). Мой господин приказал мне преподнести вам этот скромный подарок.

— Поблагодари своего господина, — ответил король, — и скажи ему, что он доставил мне большое удовольствие.

Несколько дней спустя кот пошёл в поле и там, спрятавшись среди колосьев, опять открыл свой мешок.

На этот раз к нему в ловушку попались две куропатки. Он живо затянул шнурки на мешке и понёс обеих к королю.

Король охотно принял и этот подарок и приказал наградить кота.

Так прошло два или три месяца. Кот то и дело приносил королю дичь, будто бы убитую на охоте его хозяином, маркизом де Карабасом.

И вот как-то раз кот узнал, что король вместе со своей дочкой, самой прекрасной принцессой на свете, собирается совершить прогулку в карете по берегу реки.

— Согласны вы послушаться моего совета? — спросил он своего хозяина. — В таком случае счастье у вас в руках. Всё, что от вас требуется, — это пойти купаться на реку, туда, куда я вам укажу. Остальное предоставьте мне.

Маркиз де Карабас послушно исполнил всё, что посоветовал ему кот, хоть он вовсе и не догадывался, для чего это нужно. В то время как он купался, королевская карета выехала на берег реки.

Кот со всех ног бросился к ней и закричал что было мочи:

— Сюда, сюда! Помогите! Маркиз де Карабас тонет!

Король услыхал этот крик, приоткрыл дверцу кареты и, узнав кота, который столько раз приносил ему в подарок дичь, сейчас же послал своих слуг выручать маркиза де Карабаса.

Пока бедного маркиза вытаскивали из воды, кот успел рассказать королю, что у его господина во время купания воры украли всё до нитки. (А на самом деле хитрец собственными лапами припрятал хозяйское платье под большим камнем.)

Король немедленно приказал своим придворным доставить для маркиза де Карабаса один из лучших нарядов королевского гардероба.

Наряд оказался и впору и к лицу, а так как маркиз и без того был малый хоть куда — красивый и статный, — то, приодевшись, он, конечно, стал ещё лучше, и принцесса, поглядев на него, нашла, что он как раз в её вкусе.

Когда же маркиз де Карабас бросил в сторону королевской дочки два-три взгляда, весьма почтительных, но в то же время очень нежных, она влюбилась в него без памяти.

Отцу её молодой маркиз тоже пришёлся по сердцу. Король был с ним очень ласков и даже пригласил сесть в карету и принять участие в прогулке.

Кот был в восторге оттого, что всё идёт как по маслу, и весело побежал перед каретой. По пути он увидел крестьян, косивших на лугу сено.

— Эй, люди добрые, — крикнул он на бегу, — если вы не скажете королю, что этот луг принадлежит маркизу де Карабасу, вас всех изрубят на куски, словно начинку для пирога! Так и знайте.

Тут как раз подъехала королевская карета, и король спросил, выглянув из окна:

— Чей это луг вы косите?

— Маркиза де Карабаса! — в один голос отвечали косцы, потому что кот до смерти напугал их своими угрозами.

— Однако, маркиз, у вас тут славное имение! — сказал король.

— Да, государь, этот луг каждый год даёт отличное сено, — скромно ответил маркиз.

А между тем кот бежал всё вперёд и вперёд, пока не увидел жнецов, работающих в поле.

— Эй, добрые люди, — крикнул он, — если вы не скажете королю, что все эти хлеба принадлежат

маркизу де Карабасу, так и знайте: всех вас изрубят на куски, словно начинку для пирога!

Через минуту к жнецам подъехал король и захотел узнать, чьи это поля они жнут.

— Поля маркиза де Карабаса! — был ответ.

И король опять порадовался за господина маркиза.

А кот всё бежал и бежал впереди кареты и всем, кто попадался ему навстречу, приказывал говорить одно и то же: «Это дома маркиза де Карабаса», «это мельница маркиза де Карабаса», «это сад маркиза де Карабаса».

Король не мог надивиться таким богатствам молодого маркиза.

И вот наконец кот прибежал к воротам прекрасного замка. Тут жил один очень богатый великан людоед. Никто на свете никогда не видал великана богаче этого. Все земли, по которым проехала королевская карета, были в его владении.

Кот заранее разузнал, что это был за великан, в чём его сила, и попросил допустить его к хозяину. Он, дескать, не может и не хочет пройти мимо, не засвидетельствовав своего почтения.

Людоед принял его со всей учтивостью, на какую способен людоед, и предложил отдохнуть.

— Меня уверяли, — сказал кот, — что вы умеете превращаться в любого зверя. Ну, например, вы будто бы можете превратиться в льва или слона...

— Могу! — рявкнул великан. — И чтобы доказать это, сейчас же сделаюсь львом. Смотри!

Кот до того испугался, увидев перед собой льва, что в одно мгновение взобрался по водосточной трубе на крышу, хоть это было трудно и даже опасно, потому что в сапогах не так-то просто ходить по гладкой черепице. Только когда великан опять принял свой прежний облик, кот спустился с крыши и признался хозяину, что едва не умер со страху.

— А ещё меня уверяли, — сказал он, — но уж этому-то я никак не могу поверить, что вы будто бы умеете превращаться даже в самых мелких животных. Ну, например, сделаться крысой или мышкой. Должен сказать по правде, что считаю это совершенно невозможным.

— Ах вот как! Невозможным? — переспросил великан. — А ну-ка, погляди!

И в то же мгновение великан превратился в мышь. Мышка проворно забегала по полу, но кот — на то ведь он и кот! — погнался за ней, разом поймал и проглотил.

Тем временем король, проезжая мимо, заметил прекрасный замок и пожелал войти туда.

Кот услыхал, как гремят на подъёмном мосту колёса королевской кареты, и, выбежав навстречу, сказал королю:

— Добро пожаловать в замок маркиза де Карабаса, ваше величество! Милости просим!

— Как, господин маркиз? — воскликнул король. — Этот замок тоже ваш? Нельзя себе представить ничего красивее, чем этот двор и постройки вокруг. Да это пря-

мо дворец! Давайте же посмотрим, каков он внутри, если вы не возражаете.

Маркиз подал руку прекрасной принцессе и повёл её вслед за королём, который, как полагается, шёл впереди.

Все втроём они вошли в большую залу, где был приготовлен великолепный ужин. Как раз в этот день людоед пригласил к себе приятелей, но они не посмели явиться, узнав, что в замке гостит король.

Король был очарован достоинствами господина де Карабаса почти так же, как его дочка. А та была от маркиза просто без ума. Кроме того, его величество не мог, конечно, не оценить прекрасных владений маркиза и, осушив пять-шесть кубков, сказал:

— Если хотите стать моим зятем, господин маркиз, это зависит только от вас. А я — согласен.

Маркиз почтительным поклоном поблагодарил короля за честь, оказанную ему, и в тот же день женился на принцессе.

А кот в сапогах стал знатным вельможей и с тех пор охотится на мышей только изредка — для собственного удовольствия.

Шарль Перро

ЗОЛУШКА, ИЛИ ХРУСТАЛЬНАЯ ТУФЕЛЬКА

Жил-был один почтенный и знатный человек. Первая жена его умерла, и он женился во второй раз, да на такой сварливой и высокомерной женщине, какой свет ещё не видывал.

У неё были две дочери, очень похожие на свою матушку и лицом, и умом, и характером.

У мужа тоже была дочка, добрая, приветливая, милая — вся в покойную мать. А мать её была самая красивая и добрая женщина на свете.

И вот новая хозяйка вошла в дом. Тут-то и показала она свой нрав. Всё было ей не по вкусу, но больше всего невзлюбила она свою падчерицу. Девушка была так хороша, что мачехины родные дочки рядом с нею казались ещё хуже.

Бедную падчерицу заставляли делать всю самую грязную и тяжёлую работу в доме: она чистила котлы и кастрюли, мыла лестницы, убирала комнаты мачехи и обеих барышень — своих сестриц.

Спала она на тёмном чердаке, под самой крышей, на колючей соломенной подстилке. А у обеих сестриц были комнаты с паркетными полами цветного дерева, с кроватями, разубранными по последней моде, и с большими зеркалами, в которых можно было увидеть себя с головы до ног.

Бедная девушка молча сносила все обиды и не решалась пожаловаться даже отцу. Мачеха так прибрала его к рукам, что он теперь на всё смотрел её глазами и, наверно, только побранил бы дочку за неблагодарность и непослушание.

Вечером, окончив работу, она забиралась в уголок возле камина и сидела там на ящике с золой. Поэтому сёстры, а за ними и все в доме прозвали её Золушкой.

А всё-таки Золушка в своём стареньком платьице, перепачканном золою, была во сто раз милее, чем её сестрицы, разодетые в бархат и шёлк.

И вот как-то раз сын короля той страны устроил большой бал и созвал на него всех знатных людей с жёнами и дочерьми.

Золушкины сёстры тоже получили приглашение на бал. Они очень обрадовались и сейчас же принялись выбирать наряды и придумывать, как бы причесаться, чтобы удивить всех гостей и понравиться принцу.

У бедной Золушки работы и заботы стало ещё больше, чем всегда. Ей пришлось гладить сёстрам платья, крахмалить их юбки, плоить воротники и оборки.

В доме только и разговору было что о нарядах.

— Я, — говорила старшая, — надену красное бархатное платье и драгоценный убор, который мне привезли из-за моря.

— А я, — говорила младшая, — надену самое скромное платье, но зато у меня будет накидка, расшитая золотыми цветами, и бриллиантовый пояс, какого нет ни у одной знатной дамы.

Послали за искуснейшей модисткой, чтобы она соорудила им чепчики с двойной оборкой, а мушки купила у самой лучшей мастерицы в городе.

Сёстры то и дело подзывали Золушку и спрашивали у неё, какой выбрать гребень, ленту или пряжку. Они знали, что Золушка

лучше понимает, что красиво и что некрасиво. Никто не умел так искусно, как она, приколоть кружева или завить локоны.

— А что, Золушка, хотелось бы тебе поехать на королевский бал? — спрашивали сёстры, пока она причёсывала их перед зеркалом.

— Ах, что вы, сестрицы! Вы смеётесь надо мной! Разве меня пустят во дворец в этом платье и в этих башмаках!

— Что правда, то правда. Вот была бы умора, если бы такая замарашка явилась на бал!

Другая на месте Золушки причесала бы сестриц как можно хуже. Но Золушка была добра: она причесала их как можно лучше.

За два дня до бала сестрицы от волнения перестали обедать и ужинать. Они ни на минуту не отходили от зеркала и разорвали больше дюжины шнурков, пытаясь потуже затянуть свои талии и сделаться потоньше и постройнее.

И вот наконец долгожданный день настал. Мачеха и сёстры уехали.

Золушка долго смотрела им вслед, а когда их карета исчезла за поворотом, она закрыла лицо руками и горько заплакала.

Её крёстная, которая как раз в это время зашла навестить бедную девушку, застала её в слезах.

— Что с тобой, дитя моё? — спросила она.

Но Золушка так горько плакала, что даже не могла ответить.

— Тебе хотелось бы поехать на бал, не правда ли? — спросила крёстная.

Она была фея — волшебница — и слышала не только то, что говорят, но и то, что думают.

— Правда, — сказала Золушка, всхлипывая.

— Что ж, будь только умницей, — сказала фея, — а уж я позабочусь о том, чтобы ты могла побывать сегодня во дворце. Сбегай-ка на огород да принеси мне оттуда большую тыкву!

Золушка побежала на огород, выбрала самую большую тыкву и принесла крёстной. Ей очень хотелось спросить, каким образом простая тыква поможет ей попасть на королевский бал, но она не решилась.

А фея, не говоря ни слова, разрезала тыкву и вынула из неё всю мякоть. Потом она прикоснулась к её жёл-

той толстой корке своей волшебной палочкой, и пустая тыква сразу превратилась в прекрасную резную карету, позолоченную от крыши до колёс.

Затем фея послала Золушку в кладову́ю за мышеловкой. В мышеловке оказалось полдюжины живых мышей.

Фея велела Золушке приоткрыть дверцу и выпустить на волю всех мышей по очереди, одну за другой. Едва только мышь выбегала из своей темницы, фея прикасалась к ней палочкой, и от этого прикосновения обыкновенная серая мышка сейчас же превращалась в серого, мышастого коня.

Не прошло и минуты, как перед Золушкой уже стояла великолепная упряжка из шести статных коней в серебряной сбруе.

Не хватало только кучера.

Заметив, что фея призадумалась, Золушка робко спросила:

— Что, если посмотреть, не попалась ли в крысоловку крыса? Может быть, она годится в кучера?

— Твоя правда, — сказала волшебница. — Поди посмотри.

Золушка принесла крысоловку, из которой выглядывали три большие крысы.

Фея выбрала одну из них, самую крупную и усатую, дотронулась до неё своей палочкой, и крыса сейчас же превратилась в толстого кучера с пышными усами, — таким усам позавидовал бы даже главный королевский кучер.

— А теперь, — сказала фея, — ступай в сад. Там за лейкой, на куче песка, ты найдёшь шесть ящериц. Принеси-ка их сюда.

Не успела Золушка вытряхнуть ящериц из фартука, как фея превратила их в выездных лакеев, одетых в зелёные ливреи, украшенные золотым галуном.

Все шестеро проворно вскочили на запятки кареты с таким важным видом, словно всю свою жизнь служили выездными лакеями и никогда не были ящерицами...

— Ну вот, — сказала фея, — теперь у тебя есть свой выезд, и ты можешь, не теряя времени, ехать во дворец. Что, довольна ты?

— Очень! — сказала Золушка. — Но разве можно ехать на королевский бал в этом старом, испачканном золой платье?

Фея ничего не ответила. Она только слегка прикоснулась к Золушкиному платью своей волшебной палочкой, и старое платье превратилось в чудесный наряд из серебряной и золотой парчи, весь усыпанный драгоценными камнями.

Последним подарком феи были туфельки из чистейшего хрусталя, какие и не снились ни одной девушке.

Когда Золушка была уже совсем готова, фея усадила её в карету и строго-настрого приказала возвратиться домой до полуночи.

— Если ты опоздаешь хоть на одну минуту, — сказала она, — твоя карета снова сделается тыквой, лошади — мышами, лакеи — ящерицами, а твой пышный наряд опять превратится в старенькое, заплатанное платьице.

— Не беспокойтесь, я не опоздаю! — ответила Золушка и, не помня себя от радости, отправилась во дворец.

Принц, которому доложили, что на бал приехала прекрасная, но никому не известная принцесса, сам выбежал встречать её. Он подал ей руку, помог выйти из кареты и повёл в зал, где уже находились король с королевой и придворные.

Всё сразу стихло. Скрипки замолкли. И музыканты, и гости невольно загляделись на незнакомую красавицу, которая приехала на бал позже всех.

«Ах, как она хороша!» — говорили шёпотом кавалер кавалеру и дама даме.

Даже король, который был очень стар и больше дремал, чем смотрел по сторонам, и тот открыл глаза, поглядел на Золушку и сказал королеве вполголоса, что давно уже не видел такой обворожительной особы.

Придворные дамы были заняты только тем, что рассматривали её платье и головной убор, чтобы завтра же заказать себе что-нибудь похожее, если только им удастся найти таких же искусных мастеров и такую же прекрасную ткань.

Принц усадил свою гостью на самое почётное место, а чуть только заиграла музыка, подошёл к ней и пригласил на танец.

Она танцевала так легко и грациозно, что все залюбовались ею ещё больше, чем прежде.

После танцев разносили угощение. Но принц ничего не мог есть — он не сводил глаз со своей дамы. А Золушка в это время разыскала своих сестёр, подсела к ним и, сказав каждой несколько приятных слов, угостила их апельсинами и лимонами, которые поднёс ей сам принц.

Это им очень польстило. Они и не ожидали такого внимания со стороны незнакомой принцессы.

Но вот, беседуя с ними, Золушка вдруг услышала, что дворцовые часы бьют одиннадцать часов и три четверти. Она встала, поклонилась всем и пошла к выходу так быстро, что никто не успел догнать её.

Вернувшись из дворца, она ещё сумела до приезда мачехи и сестёр забежать к волшебнице и поблагодарить её за счастливый вечер.

— Ах, если бы можно было и завтра поехать во дворец! — сказала она. — Принц так просил меня...

И она рассказала крёстной обо всём, что было во дворце.

Едва только Золушка переступила порог и надела свой старый передник и деревянные башмаки, как в дверь постучали. Это вернулись с бала мачеха и сёстры.

— Долго же вы, сестрицы, гостили нынче во дворце! — сказала Золушка, зевая и потягиваясь, словно только что проснулась.

— Ну, если бы ты была с нами на балу, ты бы тоже не стала торопиться домой, — сказала одна из сестёр — Там была одна принцесса, такая красавица, что и во сне луч-

ше не увидишь! Мы ей, должно быть, очень понравились. Она подсела к нам и даже угостила апельсинами и лимонами.

— А как её зовут? — спросила Золушка.

— Ну, этого никто не знает... — сказала старшая сестрица.

А младшая прибавила:

— Принц, кажется, готов отдать полжизни, чтобы только узнать, кто она такая.

Золушка улыбнулась.

— Неужели эта принцесса и вправду так хороша? — спросила она. — Какие вы счастливые!.. Нельзя ли и мне хоть одним глазком посмотреть на неё? Ах, сестрица Жавотта, дайте мне на один вечер ваше жёлтое платье, которое вы носите дома каждый день!

— Этого только не хватало! — сказала Жавотта, пожимая плечами. — Дать своё платье такой замарашке, как ты! Кажется, я ещё не сошла с ума.

Золушка не ждала другого ответа и нисколько не огорчилась. В самом деле: что бы стала она делать, если бы Жавотта вдруг расщедрилась и вздумала одолжить ей своё платье!

На другой вечер сёстры опять отправились во дворец — и Золушка тоже... На этот раз она была ещё прекраснее и наряднее, чем накануне.

Принц не отходил от неё ни на минуту. Он был так приветлив, говорил такие приятные вещи, что Золушка забыла обо всём на свете, даже о том, что ей надо уехать вовремя, и спохватилась только тогда, когда часы стали бить полночь.

Она поднялась с места и убежала быстрее лани.

Принц бросился за ней, но её и след простыл. Только на ступеньке лестницы лежала маленькая хрустальная туфелька. Принц бережно поднял её и приказал расспросить привратников, не видел ли кто-нибудь из них, куда уехала прекрасная принцесса. Но никто никакой принцессы не видел. Правда, привратники заметили, что мимо них пробежала какая-то бедно одетая девочка, но она скорее была похожа на нищенку, чем на принцессу.

Тем временем Золушка, задыхаясь от усталости, прибежала домой. У неё не было больше ни кареты, ни лакеев. Её бальный наряд снова превратился в старенькое, поношенное платьице, и от всего её великолепия только и осталось, что маленькая хрустальная туфелька, точно такая же, как та, которую она потеряла на дворцовой лестнице.

Когда обе сестрицы вернулись домой, Золушка спросила у них, весело ли им было нынче на балу и приезжала ли опять во дворец вчерашняя красавица.

Сёстры наперебой стали рассказывать, что принцесса и на этот раз была на балу, но убежала, чуть только часы начали бить двенадцать.

— Она так торопилась, что даже потеряла свой хрустальный башмачок, — сказала старшая сестрица.

— А принц поднял его и до конца бала не выпускал из рук, — сказала младшая.

— Должно быть, он по уши влюблён в эту красавицу, которая теряет на балах башмаки, — добавила мачеха.

И это была правда. Через несколько дней принц приказал объявить во всеуслышание, под звуки труб и фанфар, что девушка, которой придётся впору хрустальная туфелька, станет его женой.

Разумеется, сначала туфельку стали мерить принцессам, потом герцогиням, потом придворным дамам, но всё было напрасно: она была тесна и принцессам, и герцогиням, и придворным дамам.

Наконец очередь дошла и до сестёр Золушки.

Ах, как старались обе сестрицы натянуть маленькую туфельку на свои большие ноги! Но она не лезла им даже на кончики пальцев. Золушка, которая с первого взгляда узнала свою туфельку, улыбаясь, смотрела на эти напрасные попытки.

— А ведь она, кажется, будет впору мне, — сказала Золушка.

Сестрицы так и залились злым смехом. Но придворный кавалер, который примерял туфельку, внимательно посмотрел на Золушку и, заметив, что она очень красива, сказал:

— Я получил приказание от принца примерить туфельку всем девушкам в городе. Позвольте вашу ножку, сударыня!

Он усадил Золушку в кресло и, надев хрустальную туфельку на её маленькую ножку, сразу увидел, что больше примерять ему не придётся: башмачок был точь-в-точь по ножке, а ножка — по башмачку.

Сёстры замерли от удивления. Но ещё больше удивились они, когда Золушка достала из кармана вторую хрустальную туфельку — совсем такую же, как первая, только на другую ногу — и надела, не говоря ни слова. В эту самую минуту дверь отворилась, и в комнату вошла фея — Золушкина крёстная.

Она дотронулась своей волшебной палочкой до бедного платья Золушки, и оно стало ещё пышнее и красивее, чем было накануне на балу.

Тут только обе сестрицы поняли, кто была та красавица, которую они видели во дворце. Они кинулись к ногам Золушки, чтобы вымолить себе прощение за все обиды, которые она вытерпела от них. Золушка простила сестёр от всего сердца — ведь она была не только хороша собой, но и добра.

Её отвезли во дворец к молодому принцу, который нашёл, что она стала ещё прелестнее, чем была прежде.

А через несколько дней сыграли весёлую свадьбу.

Ханс Кристиан Андерсен

ПРИНЦЕССА НА ГОРОШИНЕ

Жил-был принц, он хотел взять себе в жёны принцессу, да только настоящую. Вот он и объездил весь свет, искал такую, да повсюду было что-то не то. Принцесс-то было полно, а вот настоящие ли они, этого он никак не мог распознать до конца. Так и вернулся домой ни с чем и загоревал, — уж очень ему хотелось настоящую принцессу.

Раз вечером разыгралась непогода: молния так и сверкала, гром гремел, а дождь лил как из ведра!

Вдруг в городские ворота постучали, и старый король пошёл отворять.

У ворот стояла принцесса. Боже мой, на кого она была похожа! Вода стекала с её волос и платья прямо в носки башмаков и вытекала из пяток, а она всё-таки уверяла, что она настоящая принцесса!

«Ну, уж это мы узнаем!» — подумала старая королева, но не сказала ни слова и пошла в спальню. Там она сняла с постели все тюфяки и подушки и положила на доски горошину; поверх горошины положила двадцать тюфяков, а на тюфяки ещё двадцать пуховых перин.

На эту постель и уложили принцессу на ночь.

Утром её спросили, как ей спалось.

— Ах, очень дурно! — сказала принцесса. — Я почти глаз не сомкнула! Бог знает, что у меня было в постели! Я лежала на чём-то таком твёрдом, и теперь у меня всё тело в синяках! Просто беда!

Тут-то все и поняли, что перед ними настоящая принцесса! Она почувствовала горошину через двадцать тюфяков и двадцать перин! Такой нежной могла быть только настоящая принцесса.

И принц женился на ней. Теперь он знал, что берёт за себя настоящую принцессу! А горошину отправили в кунсткамеру; там она и лежит, если только никто её не украл. Вот история так история!

Братья Гримм

ГОСПОЖА МЕТЕЛИЦА

Было у одной вдовы две дочери; одна была красивая и работящая, а другая — уродливая и ленивая. Но мать больше любила уродливую и ленивую, а другой дочери приходилось исполнять всякую работу и быть в доме золушкой.

Бедная девушка должна была каждый день сидеть на улице у колодца и прясть пряжу, да так много, что от работы у неё кровь выступала на пальцах.

И вот случилось однажды, что всё веретено залилось кровью. Тогда девушка нагнулась к колодцу, чтобы его обмыть, но веретено выскочило у неё из рук и упало в воду. Она заплакала, побежала к мачехе и рассказала ей про своё горе.

Стала мачеха её сильно бранить и была такой жестокой, что сказала:

— Раз ты веретено уронила, то сумей его и назад достать.

Вернулась девушка к колодцу и не знала, что ей теперь и делать; и вот прыгнула она с перепугу в колодец, чтобы достать веретено. И стало ей дурно, но когда она опять очнулась, то увидела, что находится на прекрасном лугу, и светит над ним солнце, и растут на нём тысячи разных цветов. Она пошла по лугу дальше и пришла к печи, и было в ней полным-полно хлеба, и хлеб кричал:

— Ах, вытащи меня, вытащи, а не то я сгорю, — я давно уж испёкся!

Тогда она подошла и вытащила лопатой все хлебы один за другим.

Пошла она дальше и пришла к дереву, и было на нём полным-полно яблок, и сказало ей дерево:

— Ах, отряхни меня, отряхни, мои яблоки давно уж поспели!

Она начала трясти дерево, и посыпались, словно дождь, яблоки наземь, и она трясла яблоню до тех пор, пока не осталось на ней ни одного яблока. Сложила она яблоки в кучу и пошла дальше.

Пришла она к избушке и увидела в окошке старуху, и были у той такие большие зубы, что стало ей страшно, и она хотела убежать. Но старуха крикнула ей вслед:

— Милое дитятко, ты чего боишься? Оставайся у меня. Если ты будешь хорошо исполнять в доме всякую работу, тебе будет хорошо. Только смотри, стели как следует мне постель и старательно взбивай перину, чтобы перья взлетали, и будет тогда во всём свете идти снег. Я — госпожа Метелица.

Так как старуха обошлась с нею ласково, то на сердце у девушки стало легче, и она согласилась остаться и поступить к госпоже Метелице в работницы. Она старалась во всём угождать старухе и всякий раз так сильно взбивала ей перину, что перья взлетали кругом, словно снежинки; и потому девушке жилось хорошо, и она никогда не слыхала от неё дурного слова, а варёного и жареного каждый день было у ней вдосталь.

Так прожила она некоторое время у госпожи Метелицы, да вдруг запечалилась, и поначалу сама не знала, чего ей не хватает; но наконец она поняла, что тоскует по родному дому, и хотя ей было здесь в тысячу раз лучше, чем там, всё же она стремилась домой. Наконец она сказала старухе:

— Я истосковалась по родному дому, и хотя мне хорошо здесь, под землёй, но дольше оставаться я не могу, мне хочется вернуться наверх — к своим.

Госпожа Метелица ответила:

— Мне нравится, что тебя тянет домой, и так как ты мне хорошо и прилежно служила, то я сама провожу тебя туда. — Она взяла её за руку и привела к большим воротам.

Открылись ворота, и, когда девушка оказалась под ними, вдруг пошёл сильный золотой дождь, и всё золото осталось на ней, так что вся она была сплошь покрыта золотом.

— Это тебе за то, что ты так прилежно работала, —

сказала госпожа Метелица и вернула ей также и веретено, упавшее в колодец.

Вот закрылись за ней ворота, и очутилась девушка опять наверху, на земле, и совсем недалеко от дома своей мачехи. И только она вошла во двор, запел петух — он как раз сидел на колодце:

Ку-ка-ре-ку!
Наша девица златая тут как тут.

И вошла она прямо в дом к мачехе; и, оттого что была она вся золотом покрыта, её приняли и мачеха, и сводная сестра ласково.

Рассказала девушка всё, что с ней приключилось. Как услыхала мачеха о том, как достигла она такого большого богатства, захотелось ей добыть такого же счастья и для своей уродливой, ленивой дочери.

И она посадила её у колодца прясть пряжу; а чтоб веретено было у него тоже в крови, девушка уколола себе палец, сунув руку в густой терновник, а потом кинула веретено в колодец, а сама прыгнула вслед за ним.

Попала она, как и её сестра, на прекрасный луг и пошла той же тропинкой дальше. Подошла она к печи, а хлеб опять как закричит:

— Ах, вытащи меня, вытащи, а не то я сгорю, — я давно уж испёкся!

Но ленивица на это ответила:

— Да что мне за охота пачкаться! — и пошла дальше.

Подошла она вскоре к яблоне; и заговорила яблоня:

— Ах, отряхни меня, отряхни, мои яблоки давно уж поспели!

Но она ответила яблоне:

— Ещё чего захотела, ведь яблоко может упасть мне на голову! — и двинулась дальше.

Когда она подошла к дому госпожи Метелицы, не было у ней никакого страха, — она ведь уже слыхала про её большие зубы, — и тотчас нанялась к ней в работницы. В первый день она старалась, была в работе прилежная и слушалась госпожу Метелицу, когда та ей что поручала, — она всё думала о золоте, которое та ей подарит. Но на второй день стала она полениваться, на третий и того больше, а потом и вовсе не захотела вставать рано утром. Она не стлала госпоже Метелице постель как следует и не взбивала ей перины так, чтобы перья взлетали вверх. Это наконец госпоже Метелице надоело, и она отказала ей в работе. Ленивица очень этому обрадовалась, думая, что теперь-то и посыплется на неё золотой дождь.

Госпожа Метелица повела её тоже к воротам, но когда она стояла под ними, то вместо золота опрокинулся на неё полный котёл смолы.

— Это тебе в награду за твою работу, — сказала госпожа Метелица и закрыла за ней ворота.

Вернулась ленивица домой вся в смоле; и как увидел её петух, сидевший на колодце, так и запел:

Ку-ка-ре-ку!
Наша девица-грязнуха тут как тут.

А смола на ней так на всю жизнь и осталась, и не смыть её было до самой смерти.

Братья Гримм

БРЕМЕНСКИЕ УЛИЧНЫЕ МУЗЫКАНТЫ

Был у одного хозяина осёл, и много лет подряд таскал он без устали мешки на мельницу, но к старости стал слаб и к работе не так пригоден, как прежде.

Подумал хозяин, что кормить его теперь, пожалуй, не сто́ит; и осёл, заметив, что дело не к добру клонится, взял и убежал от хозяина и двинулся по дороге на Бремен, — он думал, что там удастся ему сделаться городским музыкантом.

Вот прошёл он немного, и случилось ему повстречать на дороге охотничью собаку: она лежала, тяжело дыша, высунув язык, — видно, бежать устала.

— Ты что, Хватай, так тяжело дышишь? — спрашивает её осёл.

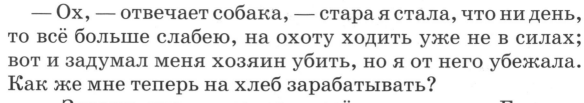

— Ох, — отвечает собака, — стара я стала, что ни день, то всё больше слабею, на охоту ходить уже не в силах; вот и задумал меня хозяин убить, но я от него убежала. Как же мне теперь на хлеб зарабатывать?

— Знаешь что, — говорит осёл, — я иду в Бремен, хочу сделаться там уличным музыкантом; пойдём вместе со мной, поступай ты тоже в музыканты. Я играю на лютне, а ты будешь бить в литавры.

Собака на это охотно согласилась, и они пошли дальше. Вскоре повстречали на пути кота; он сидел у дороги, мрачный и невесёлый, словно дождевая туча.

— Ну, что, старина, Кот Котофеич, беда, что ли, какая с тобой приключилась? — спрашивает его осёл.

— Да как же мне быть весёлым, когда дело о жизни идёт, — отвечает кот, — стал я стар, зубы у меня притупились, сидеть бы мне на печи и мурлыкать, а не мышей ловить, — вот и задумала меня хозяйка утопить, а я убежал подобру-поздорову. Ну, какой дашь мне добрый совет: куда ж мне теперь деваться, чем прокормиться?

— Пойдём с нами в Бремен, — ты ведь ночные концерты устраивать мастер, вот и будешь уличным музыкантом.

Коту это дело понравилось, и пошли они вместе. Пришлось нашим трём беглецам проходить мимо одного двора, видят они — сидит на воротах петух и кричит во всё горло.

— Чего ты горло дерёшь? — говорит осёл. — Что с тобой приключилось?

— Да это я хорошую погоду предвещаю, — ответил петух. — Ведь нынче Богородицын день: она помыла рубашки Христу-младенцу и хочет их просушить. Да всё равно нет у моей хозяйки жалости: завтра воскресенье, утром гости приедут, и вот велела она кухарке сварить меня в супе, и отрубят мне нынче вечером голову. Вот потому и кричу я, пока могу, во всё горло.

— Вот оно что, петушок – красный гребешок, — сказал осёл. — Эх, ступай-ка ты лучше с нами, мы идём в Бремен, — хуже смерти всё равно ничего не найдёшь; голос у тебя хороший, и если мы примемся вместе с тобой за музыку, то дело пойдёт на лад.

Петуху такое предложение понравилось, и они двинулись все вчетвером дальше.

Но дойти до Бремена за один день им не удалось, они попали вечером в лес и решили там заночевать.

Осёл и собака улеглись под большим деревом, а кот и петух забрались на сук; петух взлетел на самую макушку дерева, где было ему всего надёжней. Но прежде чем уснуть, он осмотрелся по сторонам, и показалось ему, что вдали огонёк мерцает, и он крикнул своим товарищам, что тут, пожалуй, и дом недалече, потому что виден свет. И сказал осёл:

— Раз так, то нам надо подыматься и идти дальше, ведь ночлег-то здесь неважный.

А собака подумала, что некоторая толика костей и мяса была бы как раз кстати. И вот они двинулись в путь-дорогу, навстречу огоньку, и вскоре заметили, что он светит всё ярче и светлей и стал совсем уже большой; и пришли они к ярко освещённому разбойничьему притону. Осёл, как самый большой из них, подошёл к окошку и стал в него заглядывать.

— Ну, осёл, что тебе видно? — спросил петух.

— Да что, — ответил осёл, — вижу накрытый стол, на нём всякие вкусные кушанья и напитки поставлены, сидят за столом разбойники и едят в своё удовольствие.

— Там, пожалуй, кое-что и для нас бы нашлось, — сказал петух.

— Да, да, если бы только нам туда попасть! — сказал осёл.

И стали звери между собой судить да рядить, как к тому делу приступить, чтобы разбойников оттуда выгнать; и вот наконец нашли способ. Решили, что осёл должен поставить передние ноги в окошко, а собака прыгнуть к ослу на спину; кот взберётся на собаку, а петух пускай взлетит и сядет коту на голову.

Так они и сделали и, по условному знаку, все вместе принялись за музыку: осёл кричал, собака лаяла, кот мяукал, а петух, тот запел и закукарекал. Потом ворвались они через окошко в комнату, так что даже стёкла зазвенели.

Услышав ужасный крик, разбойники повскакивали из-за стола и, решив, что к ним явилось какое-то привидение, в страхе кинулись в лес.

Тогда четверо наших товарищей уселись за стол, и каждый принялся за то, что пришлось ему по вкусу из блюд, стоявших на столе, и начали наедаться, будто на месяц вперёд.

Поужинав, четверо музыкантов загасили свет и стали искать, где бы им поудобней выспаться, — каждый по своему обычаю и привычке. Осёл улёгся на навозной куче, собака легла за дверью, кот на шестке у горячей золы, а петух сел на насест; и так как они с дальней дороги устали, то вскоре все и уснули.

Когда полночь уже прошла и разбойники издали заметили, что в доме свет не горит, всё как будто спокойно, тогда говорит атаман:

— Нечего нам страху поддаваться, — и приказал одному из своих людей пойти к дому на разведку.

Посланный нашёл, что там всё тихо и спокойно; он зашёл в кухню, чтобы зажечь свет, и показались ему сверкающие глаза кота горящими угольками, он ткнул в них серник, чтобы добыть огня. Но кот шуток не любил, он кинулся ему прямо в лицо, стал шипеть и царапаться. Тут испугался разбойник и давай бежать через чёрную дверь; а собака как раз за дверью лежала, вскочила она и укусила его за ногу. Пустился он бежать через двор да мимо навозной кучи, тут и лягнул его изо всех сил осёл задним копытом; проснулся от шума петух, встрепенулся, да как закричит с насеста: «Ку-ка-ре-ку!»

Побежал разбойник со всех ног назад к своему атаману и говорит:

— Ох, там в доме страшная ведьма засела, как дохнёт она мне в лицо, как вцепится в меня своими длинными пальцами; а у дверей стоит человек с ножом, как полоснёт он меня по ноге; а на дворе лежит чёрное чудище, как ударит оно меня своей дубинкой; а на крыше, на самом верху, судья сидит и кричит: «Тащите вора сюда!» Тут я еле-еле ноги унёс.

С той поры боялись разбойники в дом возвращаться, четырём бременским музыкантам там так понравилось, что и уходить не захотелось. А кто эту сказку последний сказал, всё это сам своими глазами видел.

СОДЕРЖАНИЕ

МОИ ЛЮБИМЫЕ СТИХИ

ЛЮБИМЫЕ РАССКАЗЫ

ЛЮБИМЫЕ СКАЗКИ

Литературно-художественное издание
Для чтения взрослыми детям

ЛУЧШАЯ КНИГА
ДЛЯ ЧТЕНИЯ
от 3 до 6 лет

Художник В. П. КОРКИН

Дизайн обложки В. И. МИТЯНИНОЙ

Ответственный за выпуск В. С. РЯБЧЕНКО
Художественный редактор М. В. ПАНКОВА
Технический редактор А. Т. ДОБРЫНИНА
Корректор Л. А. ЛАЗАРЕВА

Подписано к печати 20.11.12.
Формат 84х108$^1/_{16}$. Бумага офсетная.
Печать офсетная. Усл. печ. л. 16,8.
Тираж 5000 экз. Заказ № 1214560.

ЗАО «РОСМЭН-ПРЕСС».
Почтовый адрес: 127018, Москва, ул. Октябрьская, д. 4, стр. 2. Тел.: (495) 933-71-30.
Юридический адрес: 129626, Москва, ул. Новоалексеевская, д. 16, стр. 7.

Наши клиенты и оптовые покупатели могут оформить заказ,
получить опережающую информацию о планах выхода изданий
и перспективных проектах в Интернете по адресу: www.rosman.ru

ОТДЕЛ ПРОДАЖ:
(495) 933-70-73, 933-71-30;
(495) 933-70-75 (факс).

arvato
ЯПК

Отпечатано в полном соответствии с качеством
предоставленного электронного оригинал-макета
в ОАО «Ярославский полиграфкомбинат»
150049, Ярославль, ул. Свободы, 97